最新版

# 歌舞伎の解剖図鑑

絵と文／辻 和子
Tsuji Kazuko

JN181793

X-Knowledge

# こんなところに歌舞伎のDNA

テレビも映画もない江戸時代、歌舞伎は庶民の最大の娯楽でした。「差し金」「黒衣（くろご）」「二枚目」など、歌舞伎由来の言葉も多いのもその証です。

それだけでなく、我々日本人の中には、歌舞伎のDNAがしっかりと埋め込まれています。好例が「戦隊ヒーローもの」。ゴレンジャーをはじめとするあのスタイルのルーツは『白浪（しらなみ）五人男（ごにんおとこ）（192頁）』。貫禄あるリーダー、血気盛んなイケメン、紅一点の女性（五人男では赤星という中性的な役に相当）といったキャラ分担の考え方や、五人が揃いの衣裳で勢揃いする時の、名乗りや決めポーズの演出もそっくりです。

そして最大の違いは、ヒーローは正義の味方ですが、五人男は盗賊。アウトローも悪人も、美しく格好良く見せるのが歌舞伎の醍醐味です。

江ノ島は岩本院の僧侶見習いとして育った。稚児だったから振り袖や島田髷で女装もお手のもの。すっかり女に化けて男たちをだまして金を巻き上げ、油断のならない小娘として過ごしていたが、悪い噂が立つようになり、二、三度牢にもブチこまれたさ。だんだん悪事が重なって、八幡様の氏子からもはずされ、無宿者になった俺の名は弁天小僧菊之助だ

弁天小僧の名乗り（ツラネ）の現代語訳

受け継がれている戦隊ヒーローもの

# 目からウロコ!?の歌舞伎のツボ

## ～知らざぁ言って聞かせやしょう～

中年以上の人なら、時代劇で牢屋のシーンを見た事のある人も多いでしょう。何枚も重ねた畳の上で睨みをきかせる牢名主、その顔色を伺う古株に、おびえる新入りといった「牢内ヒエラルキー」。実はこの描写は、明治に書かれた『四千両小判梅葉(しせんりょうこばんのうめのは)』がルーツ。作者の河竹黙阿弥(かわたけもくあみ)が、旧幕時代の関係者に綿密な取材を重ねて練り上げた歌舞伎作品です。明治になって初めて、それまで一般には伺い知れなかった江戸・伝馬町の牢屋の実体が紹介されて大評判に。そのイメージが現在まで引き継がれています。

しとやかな武家娘に化けて登場する弁天小僧。後半で正体を現した時のギャップに注目！

『四千両小判梅葉』

畳の高さで上下関係がわかる！ 左側の高い畳に座っているのが牢名主。それより低い畳は「役つき」の囚人

# 歌舞伎の常識は世界の非常識！

## 討ち入りは付け足し？の『忠臣蔵』

赤穂浪士の討ち入り事件を元にした作品が『仮名手本忠臣蔵』。（161頁）テレビや映画でもおなじみですが、歌舞伎では討ち入りの場面が上演されるのは稀です。実は人形浄瑠璃の原作に討ち入りの場面は無いのです。舞台で四十七士を人形化するのは無理でした。加えて史実には無い創作エピソードや架空の人物も盛りだくさん。その内容も個々の人間ドラマに焦点が当たっており、テレビや映画とは「全く別もの」と言っていいでしょう。

## 二月なのに黄色い銀杏？

同じく『忠臣蔵』の冒頭「大序」では、鶴岡八幡宮の背景に銀杏の木が据えられています。伴奏の義太夫で「頃は如月下旬～」と語っているように、設定は二月（新暦では三月頃）にもかかわらず、銀杏の葉はまっ黄色。季節的に「おかしい」という事で、緑色にした事があったそうですが、結局元に戻したというのも、歌舞伎らしいエピソード。黄色い方が銀杏らしく、衣裳との釣り合いもとれて舞台映えするというわけで、理屈よりも「見た目重視」なのが歌舞伎の世界です。

## フィアンセを助けない男！

『彦山権現誓助剣』という作品では力持ちの女性・お園が、フィアンセの六助と巡り会い、共に生きる事になります。肉親の仇を探すお園が、敵に襲われる場面がありますが、六助は座って見ているだけで助けようとしません。普通なら「なぜ!?」となりそうですが、ここはお園ちゃんの大事な見せ場なので、六助は介入してはならないのです。

敵をいとも簡単にあしらいつつ、仇討ちの事情について、伴奏に合わせてリズミカルに語るお園。その「芸」を楽しむための演出だからです。「ストーリーではなく、個々の役者の持ち味と演技を楽しむもの」というのが歌舞伎の本質。少し予習をしておけば「ここはお園の台詞と動きを見せるところだから、六助はじっとしているんだな」と、何となくわかるでしょう。

身のこなしも軽やかなお園と、それを見ているだけの六助

## 山中でもドレッシー？

舞踊「吉野山」（178頁）では、源義経を慕って旅をする静御前と、家来に化けた狐が登場します。山深い道のはずなのに、静は御殿にいる時と同じく、着物の裾を長く曳いた姿。理屈に合わないのですが、これも歌舞伎の美学。他にも「あれ？」と思うツッコミどころは多々ありますが、そんな時に効く魔法の言葉が「そこはまあ、お芝居だから」。鷹揚に楽しむのが一番です。

手に持つ笠も舞踊用で、美しく透ける布製のもの。優美さを一層引き立てる小道具だ

## 台詞の遊び心にも注目！

**歌**舞伎に欠かせないのが「遊び心」と「工夫」のスパイス。台詞や衣裳や音楽、至るところに潜んでいます。

先出の『弁天小僧（白浪五人男）』では、娘に化けた盗賊・弁天小僧が、呉服屋で自らの出自を明かします。その時の有名な台詞「知らざぁ言って聞かせやしょう～」の中に、「ここやかしこの寺島で　小耳に聞いたじいさんの　似ぬ声色で小ゆすりかたり」という一節があります。江ノ島出身の弁天は、あちこちの寺や島を根城に恐喝をしていた、というのが「表」の意味。実は「裏」には役者の歴史が忍ばせてあります。

弁天のキャラは、当時十八歳の五代目尾上菊五郎にあてて幕末に書きおろされ、大ヒットしました。現在、七代目が演じる台詞の「じいさん」は、この五代目のこと。それでは初演した五代目は誰を指したのかというと、それは三代目。やはり名優で、天下のイケメンでした。この三代目が、東京・向島の寺島町に住んでいたのです。明治となって武士以外の人も姓を持つようになると、五代目も本名を寺島と名乗るようになりました。以来、尾上菊五郎家は寺島姓となっています（女優の寺島しのぶも菊五郎家の出身。）ちなみに三代目が初演した『四谷怪談』（196頁）では、無頼漢・直助と浪人・伊右衛門の「お前もよっぽど業悪だなあ」「おぬしが仕草を見習ったのよ」というやりとりがあります。おぬしとは、直助を初演した敵役の名人・五代目松本幸四郎への当て込みで、リスペクトの表現。過去にはこの部分を「てめえの親父に仕込まれたのよ」と、相手役との関係で変えた人もいるのも面白いところ。

台詞にさりげなく内輪ネタを仕込むのも、歌舞伎によくある手法です。

**五代目尾上菊五郎の弁天小僧**
作者の河竹黙阿弥が五代目にあてて創造したキャラクター

## 客席からは見えない小物にも工夫が

五人男が勢揃いする場面で、各自が腰から下げている煙草入れは、それぞれのキャラにふさわしい装飾が施されています。揃いの着物の柄はもちろん、着方や動きにも個性が見てとれます。漁師あがりの南郷力丸は、裾をまくって手ぬぐいを首から巻き付けた荒っぽい姿ですが、小姓出身の優美な赤星十三郎はゾロリとした着方で、かかとを見せないように気を配るそう。注意して見れば至るところに発見があるのも歌舞伎の大きな魅力でしょう。

**弁天小僧の煙草入れ**
菊の形の象牙の根付けと、革製の本体にも菊の装飾。これほどの細工は現代ではもうつくれないため、修理しながら使っている

弁天小僧の刀のツバも菊の形

しらなみと書かれた傘。「白浪」は泥棒の隠語

**南郷力丸**（なんごうりきまる）
荒々しい漁師の息子。歩き方や着物の着方も赤星と対照的

**赤星十三郎**（あかぼしじゅうざぶろう）
優美な若衆キャラ

最新版 歌舞伎の解剖図鑑　目次



## 一章 歌舞伎を観に行こう!

## 二章 早わかり! 歌舞伎のツボ

## 三章 歌舞伎役者とその芸脈

# 四章 押さえておきたい名作演目32選

●本書に掲載されている劇場や役者についての情報は、2024年9月現在のものです。
●各演目の進行や演出などは、台本や演者によって実際の舞台と若干の違いが生じることもあります。


ブックデザイン：米倉英弘（細山田デザイン事務所）
DTP：横村葵
印刷：シナノ印刷


## 本書について

●本文中では、演目は基本的に下記のように表記しています。

『――』 本外題（正式な題名）
（――） 通称・別称（一般的に親しまれている呼称など）
〈――〉 場名

●「ここで登場」では、演目は下記のように表記しています。

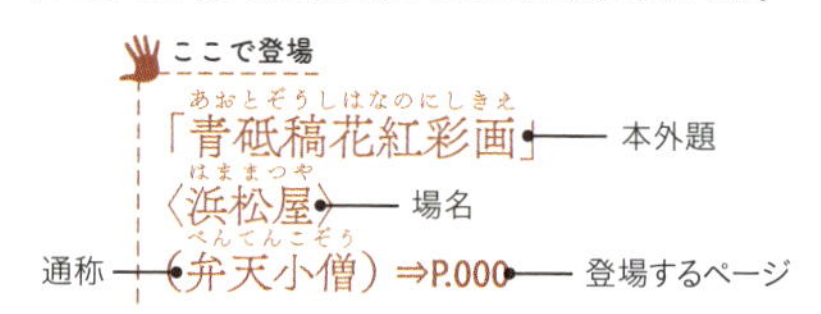

1

一章

# 歌舞伎を観に行こう!

# 歌舞伎は基本、「不良の祝祭」です

## 九割は犯罪がらみ 舞台での犯罪発生率は世界一！

**不良度もさまざまな人々**

大盗賊の石川五右衛門（右）
女装盗賊・弁天小僧（中央）
密通して切り刻まれた与三郎と
元カノ・お富（左）

元はお坊っちゃまだが実家からも勘当されて落ちぶれ、ゆすりの真似事で生活。古い着物を無頼者らしくラフにまとっている

ケンカ上等

ゆすり、かたりの時に見せびらかす桜模様の入れ墨

**強**盗にスリに拉致監禁に公金横領……。歌舞伎の舞台では、毎日のように犯罪が行われています。犯罪ではないものの、不倫や略奪愛、不純異性交遊も横行しています。たとえば歌舞伎鑑賞教室でもよくかかる『鳴神』という演目。高僧が美人スパイの色香に迷い堕落するという内容で、現在から見ると色事の表現こそ控えめですが、効果音の唄の一部は、かなりきわどい内容だったりします。

まるで昼メロやワイドショーのようなネタを「イケてる感じ」に表現するのが歌舞伎。いわば「下世話の洗練」です。歌舞伎という言葉は、歌、舞、技からなります。始祖は江戸初期に登場した出雲の阿国という女性で、奇抜な格好で踊り、評判となりました。阿国のように、戦乱の世が終わった開放感を歌や踊りで表現し、常識を逸脱した行動をする者たちは「傾き者」と呼ばれました。下世話な題材も、そんな「傾き者」精神の名残と言えます。

# スジよりノリで！

「菊畑」のノリの部分
義太夫狂言特有の演出。
リズミカルな台詞回しと動き。

本作のものは華麗さで有名

さては鬼一と心を合わせ

もったいなき御（おん）おおせ

## ズバリ「ノリ地」という表現方法

〈菊畑〉では、虎蔵と家来・知恵内が相談する場面で登場。和製ラップのようなノリの良さで深刻なやりとりも解決！

智恵内（ちえない）

虎蔵（とらぞう）
（実ハ牛若丸）

ここで登場

「鬼一法眼三略巻（きいちほうげんさんりゃくのまき）」〈菊畑〉

⇒P.075、086

平家方の軍師・鬼一法眼の持つ兵法の秘伝書を奪うため、身分を隠して屋敷に潜入した虎蔵（牛若丸）と智恵内（ちえない）。実は鬼一は、幼い時に別れた智恵内の実の兄だった。秘伝書を強行突破で奪おうとする虎蔵と、兄を手にかけることをためらう智恵内のやりとりに注目

## 洋楽と同じノリで楽しんで

「台詞がわかりにくい」とも言われる歌舞伎ですが、大切なのはストーリーを追うことではなく「基本設定の理解」です。あらかじめ設定とあらすじが頭に入っていれば、不思議と台詞も聞きとりやすくなります。また、歌舞伎の醍醐味は「演技を楽しむ」ことです。台詞がわからずとも「役者の演技のノリ」に身体をゆだねて楽しめば良しです。すぐれた洋楽が、歌詞がわからなくても楽しめるのと似ています。

**と、いうわけで…**

**歌舞伎は快感に身をゆだねる芸能です**

観劇のツボ

# 歌舞伎を楽しむツボ教えます

商人に身をやつしているが、実はB国のスパイ。歌舞伎にはこのような設定が多い
A国の大名で、実は商人の正体を知っている

**設定を知れば見る目が変わる**

よくあるシチュエーションが、設定を知れば全く違って見えてくる

## あらすじは重要ではありません

たとえば戦国時代。A国の大名と商人が密談をしているとしましょう。実は商人は隣国のB国の間者（スパイ）で、わざとB国のウソの情報を大名に教えて、かく乱しようとしています。しかし大名が商人の正体を知っているとしたら…？ありがちな密談の場面が、たちまちスリリングに見えるでしょう。フムフムとうなずく大名に、愛想良く応じる商人。帰る商人を見送る大名の微妙な表情。もしあなたが設定を理解していれば「大名は内心、だまされないぞと思っているんだな」とわかるでしょう。商人が振り返った途端、笑顔をとりつくろう大名の何とも言えない様子。芝居を見る面白さは、こんなところにあります。

あらすじは面白い演技を引き出すための枠組みと言えますが「登場しただけでその人物らしく見える」のが大前提。そんな理由から歌舞伎では、盛り上がる場面のみを抜粋して上演するのも普通です。

# 声がなにより大事です

ここで登場

「楼門五三桐」〈山門〉

大泥棒の石川五右衛門と天下人・真柴久吉（羽柴秀吉）の架空の出会いを描いた一幕。天下を取った大物同士の役者ぶりで見せる演目。「五三桐」は秀吉の紋の名称

絶景かな絶景かな　春の詠めは値千金とは小せえ たとえ

長期間伸ばしっ放しにした頭部の「大百日」という鬘は大泥棒や囚人を表す

泥棒を象徴する白浪模様が一般的

豪華などてら姿で銀きせるを持つ

**石川五右衛門**

ワイルドで豪快なキャラ

**真柴久吉**

スッキリさわやかで理知的なキャラ

天下をとった者同士が対照的なキャラで見せる

## 豊かな台詞まわしが魅力

南禅寺の山門の上から、桜満開、春らんまんの京都を見渡す五右衛門。景色と天下を取った自分に酔いしれる台詞で有名

## 回されてこそ酔えるんです

「一声二振り三姿」とは、歌舞伎役者にとって大切な条件を重要な順に並べた言い方。二は身のこなし、三はルックスを指します。二と三は入れ替わることがありますが、一の声は不動です。「口跡」といって、声質の善し悪しだけでなく、音楽的な台詞回しが重要。それでこそ、観客に気持ちよく届きます。役者さんは義太夫（文楽の伴奏で太夫と呼ばれるナレーターが一人何役も演じ分ける）の勉強も必須です。

## 実は、超体育会系

**力紙**
紙だけで髪を結っている荒々しさを表現し、大きいほど勢いがある

ここで登場
「暫」⇒P.164

**車鬢**
油で固め分けた太い鬢

**大太刀**
太刀の長さは2mで数ある歌舞伎のキャラクターの中でも一番の長さ

**襟**
重なった襟の厚みだけで30cm！着付ける人にもテクニックが必要

**袖**
張った巨大な袖の中には竹の棒が入っている

**身体の厚み**
衣裳の下には綿入りのベストを何枚も着て肉厚の身体を作る

**着物**
着物は「泥がき」という特殊な染め方。最初は触ると茶色くなる。所作台（舞台の上に置く台）が染まることも

**長袴**
長袴の中に高下駄をはいている

**鎌倉権五郎**

## 歌舞伎の動き＝筋トレだった!?

スーパーマンが悪人を蹴散らかす『暫』という作品があります。主人公・鎌倉権五郎の衣裳の総重量は約60キロです。身体を大きく見せるため、長袴の中には高下駄をはいています。歩いて登場するだけでも大変ですが、力強い台詞回しや動きで観客を魅了しなくてはなりません。

歌舞伎の身ごなしの基本は日本舞踊ですが、美しい動きには筋力が必須です。日舞の基本姿勢は「中腰」。この姿勢をキープしながら、かっこよく動くのは実は大変です。歌舞伎役者は幼いうちから舞踊の修行で鍛えているので、重い衣裳をつけながらも動いたり踊ったり出来るのです。

歌舞伎は観る側にとっても体育会系の娯楽です。サッカーや野球にルールがあるように、歌舞伎にもちょっとしたルールがあります。ルールを知れば試合の見方は大きく変わり、役者の「ここぞ！」という演技のファインプレーも見逃がしにくくなります。

# プレーヤーで別物に

## 役者で変わる弁慶の個性

演者や相手役で雰囲気が変わるのはもちろん、実は衣裳や小道具も人によって違いがある

**兜巾**（ときん）
武士のかぶとに等しい。市川團十郎家、松本幸四郎家、尾上松緑家で、すべて大きさが異なる

**篠懸**（すずかけ）
白いボンボンのついた山伏用の細長い袈裟。冒頭の長唄の詞章「旅の衣は篠懸の～」にも登場。役者によって専用のものがある

**偽の勧進帳**
勧進帳とは寺への寄付帳のこと。山伏の必須アイテムであり、弁慶は関所の番人に読むように命じられる

**模様**
仏教に縁の深い「梵字」の図案で、不動明王を表している。役者によって好みの位置がある。梵字とは古代のインド語

**勧進帳の表**
市川團十郎家は、黒地に砂子(細かい金箔を散らしたもの)で、金箔の大きさも決まっている。松本家は、両面が黒、尾上家は、表が白地の砂子が決まりごと

**弁慶**（べんけい）

ここで登場
「勧進帳」（かんじんちょう） ⇒P.070～071、162
山伏に偽装した弁慶一行が主君・源義経を守り、関所を突破する物語

## 役者によってガラリと変わる

コンサートに行く時に、誰が演奏するのかを知らずに会場に行く人はいないでしょう。歌舞伎も同じで、同じ演目でも役者によって印象が大きく変わります。ジャズのスタンダード曲が、演奏者によって印象が違うのと似ています。たとえば弁慶という英雄が登場する『勧進帳』という演目も、「だれそれ(役者)の弁慶を見た」と言って初めて概略が伝わります。同じ役者でも年齢によって仕上がりも変わります。

**と、いうわけで…**

**歌舞伎を観る＝役者を見るということです**

# ハレの場に参加しよう

**二階桟敷席**

歌舞伎座の二階桟敷席は、一階と同様に、2席ワンセットで靴を脱いで上がる方式。前テーブルもあるが一階桟敷席とは違って個室ではなく、隣とは仕切りのみ

**一階桟敷席**

観客からも「見られる」セレブ感のある席。歌舞伎座では前テーブルつきの堀りゴタツ式で、専用のポットやお茶セットもつく

**花横**

花道真横の席。役者を間近に見られるのがたまらない！

## さて、どう観ればいい？

世界に歌舞伎ほど「観客参加型」の演劇は少ないでしょう。その象徴が「大向こう」。役者の登場時や見せ場で出す「音羽屋！」「成田屋！」というかけ声で、芝居のリズムを盛り上げます。役者が舞台から口上を述べるときなどの、観客と舞台の一体感が最大の魅力。

歌舞伎の劇場は昔から「芝居小屋」と呼ばれてきました。そこは日常から離れた「ハレの場」で、祭のような空間。一人でも気軽に参加してみましょう。

# 芝居の国へ行ってみよう

## 1 まずは上演予定を調べてチケットを取ろう

インターネットが便利。松竹の公式サイト「歌舞伎美人(かぶきびと)」※1や各劇場のサイトなどでスケジュールをチェックできる。劇場は大都市に集中しているが、毎年7〜9月頃の夏場(年により変動)には「公文協」という地方巡業も行われる。

チケットは、松竹運営の「チケットweb松竹」※2(ユーザー登録が必要・無料)や、各劇場のサイト、「チケットぴあ」などで購入可能。「チケットホン松竹」や各劇場(金丸座などを除く)で電話予約、窓口で直接購入もできる

## 2 フルコースか幕の内弁当か?

歌舞伎座の場合、昼夜二部制が基本で、公演期間は一ヶ月弱。上演形式は「通し狂言」と「みどり」がある。「通し」は、ひとつの演目を最初から最後まで上演するフルコース式。「みどり」は、よりどりみどりという意味で、テイストの異なる複数の演目の一部を取り合わせた幕の内弁当式

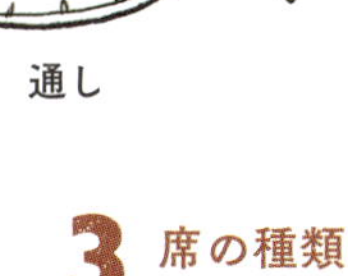
通し

みどり

## 3 席の種類は?

歌舞伎座の場合、高い順に一階桟敷席、一等、二等、三階A、Bの席がある。一等の場合は前から7〜9列目の「とちり」と呼ばれる席が観やすいとされている

## 4 観劇代金は高い?

三階席なら約4000〜6000円。この値段で半日、生演奏と豪華な舞台を楽しめる。

歌舞伎座には四階に「一幕見席※3」という当日自由席があり、観たい幕だけを「ちょい見」するという手軽な見方も可能。一幕1000円〜2000円程度で、当日に直接一階の幕見席販売窓口で購入できる。整理券を受け取り、決められた時間までに四階に集合するという流れ。大向こうも良くかかって熱気があり、イヤホンガイドなども借りられるが、劇場内の売店などの施設を使うことはできない

※1 歌舞伎公式総合サイト「歌舞伎美人」http://www.kabuki-bito.jp
※2 「チケットweb松竹」https://www1.ticket-web-shochiku.com/t/
※3 新型コロナウイルス感染症の感染状況・対策により販売休止の場合もあり。事前に要確認

## 5 まず、どの演目を観ればいいい？

周囲に歌舞伎に詳しい人がいて、聞ければベスト
そうでなければ下記のヒントを参考に

### 1 知っている役者さんを観に行く

テレビで見たことがあったり、興味のある役者さんを目当てにするのも近道。歌舞伎役者として舞台に立つ生の姿は、とてもインパクトがあるはず

### 2 襲名披露公演に行く

有名どころの役者さんが大勢出演する充実した舞台になることが多い。「襲名披露口上」など、歌舞伎の伝統を感じられる演出も楽しめる

### 3 三部制の公演を観る

歌舞伎座の8月の納涼公演など、三部制の公演もある。好きな時間帯を選べてわかりやすい演目が多く、初心者にも最適。一般の劇場でも、ニューウェーブ的な公演が増えているのでチェックしたい

### 4 事前調査をする

気になる演目や役者さんを、インターネットなどで検索するのも一案。役者さんはそれぞれ得意とする役があり、情報を調べておくと良い

## 6 上演時間が長すぎるのでは？

通常は約4時間前後と確かに長いが、幕間（まくあい）と呼ばれる休憩が何度か挟まれる。中には30分程度と長めの食事休憩も。みどり上演の場合、一番目が様式的な時代物、二番目がカジュアルな世話物、三番目が舞踊という構成が基本で、初心者でも飽きないよう工夫されている

## 7 台詞が聞き取りにくそうで不安がある

演目の概要を予習できればベストだが、劇場のチラシに記載されたあらすじを、一読しておくだけでも理解度はかなり高まる。売店や入口で筋書（すじがき）（パンフレット）を買って予習するのも有効。そして、初心者の味方が「イヤホンガイド」。各劇場で貸し出しがあり、芝居のポイントをわかりやすく同時解説してくれるのでぜひ活用したい

## 8 ドレスコードは?

基本的に自由だが、長丁場なので疲れない格好がベスト。気分を盛り上げるために着物を着てみるのもお勧め。特に桟敷席は「人からも見られやすい席」なので、歌舞伎観劇ならではのおしゃれを楽しんでみては?

## 9 観劇時に守るべきマナーは?

携帯電話のOFFや観劇中の私語を慎むのは常識として、歌舞伎観劇の3大NGは以下3つ

**1 上演中のガサゴソ**

歌舞伎座の場合、上演中の飲食はOKだが、食べ物の袋などをガサコソさせないよう気を配りたい

**2 前のめりの観劇**

本人は気づきにくいが、後ろの人の視界を狭めてしまい迷惑なのでご注意を

**3 帽子や盛りまくりの髪型**

**2**と同様、後ろの人の迷惑になるので気配りを!

## 10 あれば便利なアイテムは?

**1 オペラグラス**
三階後列や幕見席の必需品

**2 老眼鏡**
チラシなどの確認時に持っておくと便利

**3 飲み物**
劇場内でも購入できる

**4 薄手の折りたたみエコバック**
コートや荷物を入れて座席下に置けるので便利

# 歌舞伎座で過ごす一日

初めて歌舞伎を観る初美と、長年の歌舞伎ファンの政子が、歌舞伎座公演の昼の部を一緒に観劇。その様子を通じて、歌舞伎座で過ごす1日を追ってみよう※

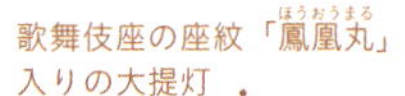
歌舞伎座の座紋「鳳凰丸」入りの大提灯

**10時20分**

歌舞伎座地下の木挽町広場（東京メトロ日比谷線・東銀座駅下車すぐ）で待ち合わせた2人。歌舞伎デビューの初美に合わせて、集合時間は早めです。まずは劇場内で食べるお昼ご飯を調達。木挽町広場では定番のお弁当売り場以外にもコンビニや売店が勢ぞろい。また、近隣の百貨店や、劇場前のお弁当屋などで調達するのもアリです

エスカレーター脇の売店「はなみち」は限定商品も充実。面白いものが多くそろっています

**ソフトクリーム**

「歌舞伎茶屋」のソフトクリームは、隈取チップがのったオリジナル仕様。観劇前後に寄れる軽食どころも複数あります

エスカレーターで地上に上がってすぐの「歌舞伎座稲荷神社」にお参り。開場前後の劇場前は大にぎわいです

大入り、安全祈願のためにまつられた神社で、2013年の歌舞伎座建て替えに伴い、現在の位置に移動。初日や千穐楽には劇場関係者も参拝するそう

※ 新型コロナウイルス感染症の感染状況・対策によりスケジュールや飲食事情などは変更が生じる場合がある。事前に要確認

## 開演30分前

### いざ入場！

政子は入口で筋書（パンフレット）を購入。中面の舞台写真は月末近くに掲載されます。初美はイヤホンガイドを借りて準備万端

**イヤホンガイド**
歌舞伎独特の約束事や配役、芝居の背景や見どころをタイミング良く同時解説してくれる。開演前から始まり、初心者には筋書を読むより分かりやすい

**筋書**
関西では番付と呼ばれる

## 11時00分

開演前はやることが山盛りです。トイレに行ったり筋書で予習したりを済ませ、三階席に着いた2人。いよいよ一幕目が開幕！

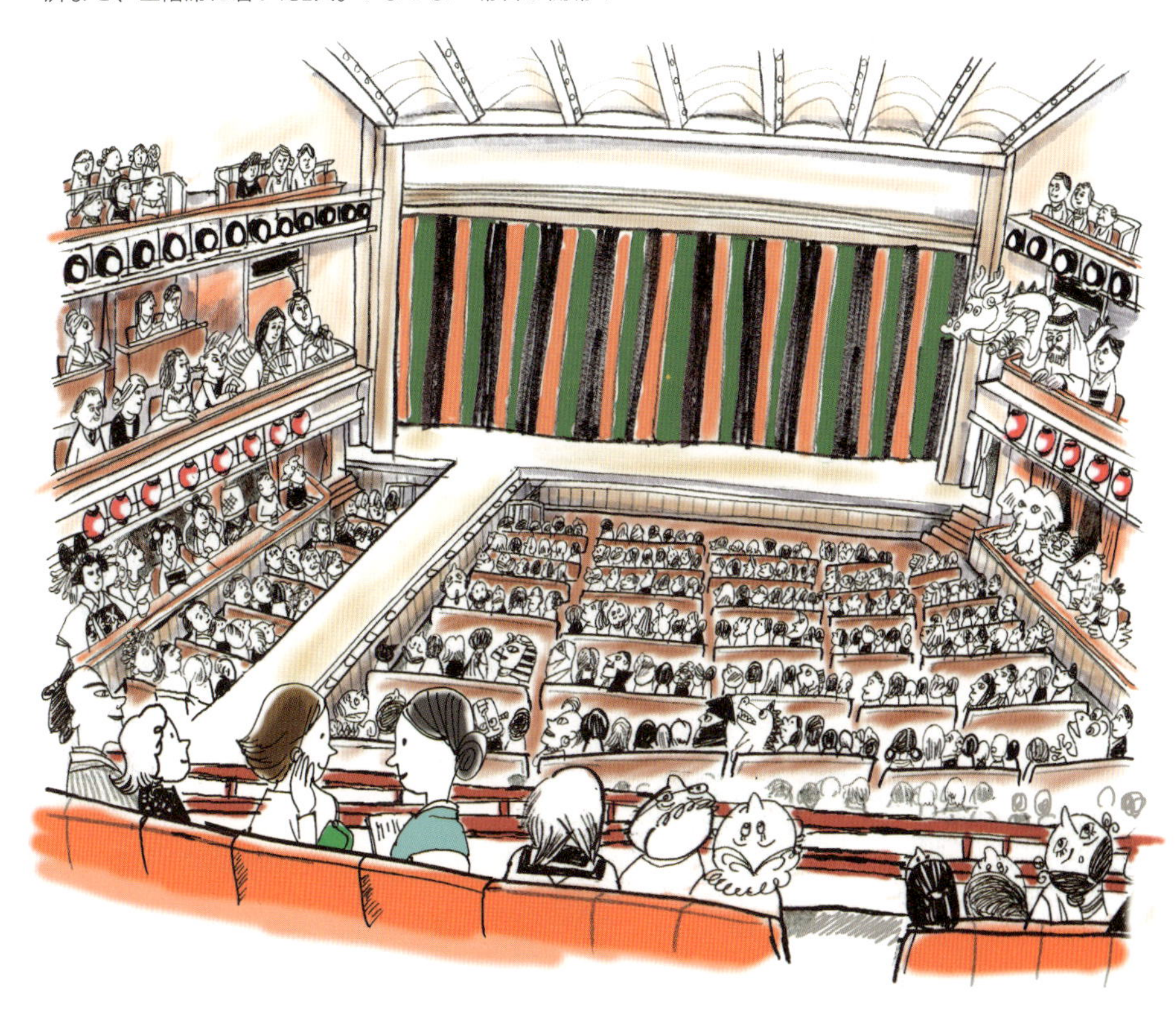

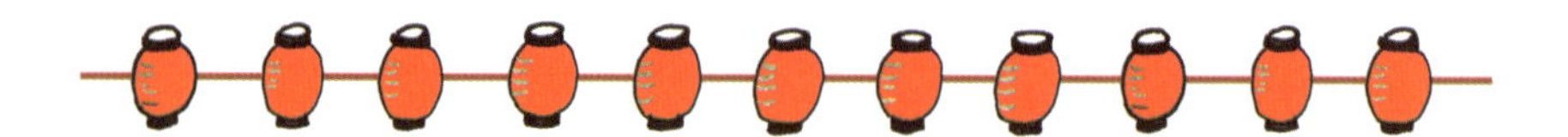

## 正午ごろ

正確な時間は公演月によって変わりますが、お昼ご飯タイムです。席でお弁当をいただきつつ、芝居の感想を言い合う2人

食後は三階幕外の「座・のれん街」を散策。このチャンスに、江戸テイストあふれるお土産、おやつや展示物を満喫します

**もなかアイス**

さっぱり味のアイスをはさんだもなか。あずき、抹茶、バニラ味があり各階で販売されています

**めでたい焼き**

紅白の白玉入りで、早めに売り切れることもある人気のおやつ。5個以上購入の場合、予約可能。三階で焼き立てを販売しています

**地口行灯**（じぐちあんどん）

毎年2月の恒例として飾られる行灯。歌舞伎座稲荷の二の午祭に合わせて入口から楽屋まで劇場内のいたるところに飾られます。江戸時代から祭礼時に飾られていた歴史ある行灯で、地口（洒落のこと）と絵が描かれています

**懐かしの名優たち**

三階西側通路に並ぶ、思い出の俳優写真を眺めます

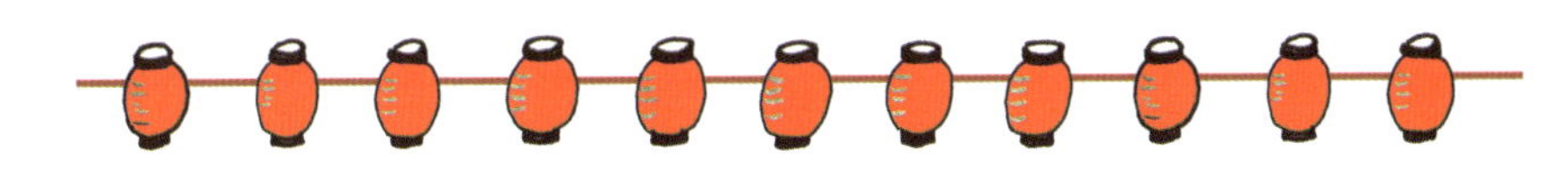

## 12時30分〜13時ごろ

そろそろ二幕目の始まり。開幕5分前を知らせるブザーで、席に戻ります

## 14時前後ごろ

二幕目も終わり。二階の売店前スペースで、スパークリングワインで乾杯！各階の売店ではアルコール類や軽食、手軽なお弁当やおやつ類も販売されていますし、飲み物の自販機もあります

公演の中日以降は一階（移動する場合あり）で出演俳優の舞台写真の販売（1枚500円）もあります

## 16時前ごろ

楽しい観劇が終了。二階ロビーを中心に、階段踊り場の「青獅子」など、劇場内には色々な名画が飾られているので、じっくり見ながら帰ります

「青獅子」

川端龍子作。1階と2階の間の踊り場にある

すっかり歌舞伎にハマってしまった初美。外に出てからも二人の歌舞伎談義は続くのでした……

# 劇場にも個性があります

歌舞伎が上演される劇場は全国にある。ここで紹介する主な劇場以外でも、シアターコクーン（東京・渋谷）の「コクーン歌舞伎」を筆頭に、明治座（東京）や「平成中村座」（大阪、名古屋、浅草などの仮小屋）など、各地で不定期の公演が催されている

鳳凰丸の座紋。原本は奈良の法隆寺の宝物のもの

### 歌舞伎座

年間を通じて歌舞伎が上演される「ザ・殿堂」的な劇場で、現在は2013年に竣工した五代目。音響の良さにも定評がある。一幕見席の数も多く、評判の高い演目にズラリと並ぶ劇場横の行列は壮観

### 国立劇場※

皇居のお堀を前にして立つ、堂々とした校倉造りの劇場。歌舞伎公演は1、3、10、11、12月に行われ、6月と7月には初心者向け歌舞伎鑑賞教室も開催。8月には国立劇場歌舞伎俳優研修終了生とOBによる公演「稚魚の会」も行われる。全体的にゆったりとした作りで椅子席も快適。埋もれた演目を「通し」で復活上演することに熱心で、料金設定も安め

1階ロビーには彫刻家・平櫛田中による、六代目尾上菊五郎の「鏡獅子の像」が置かれている

### 新橋演舞場

デザイナーズホテルのようなモダンな雰囲気の劇場。歌舞伎の公演は1月を筆頭に不定期で行われており、市川猿之助や市川團十郎を座頭にすえた娯楽性の高い公演が中心

※ 建て替えのため2023年10月末に閉場。2029年秋に再開場予定

### 浅草公会堂

若手中心で毎年1月に行われている「新春浅草歌舞伎」公演が恒例。料金もリーズナブルで、舞台にも客席にも若々しい熱気があふれている

### 大阪松竹座

ネオ・ルネッサンス様式の劇場として大正期に開場。映画館として興行していたが、近年、演劇専門劇場としてリニューアル。内部は階数が多い独特の構造で、少数だが幕見席もある。歌舞伎公演は不定期だが、7月興行の前に、歌舞伎役者が船で道頓堀川を下る「船乗り込み」で有名。食い倒れの街らしく、近隣のお弁当調達にも困らない

### 南座

歌舞伎発祥の地・京都に建つ劇場。12月の「顔見世」興行は東西のオールスター役者がそろう一大イベントで、京の師走の風物詩。ここだけに残るまねき（役者の名入り看板）や、舞妓芸妓の総見（全員正装しての見物）など、伝統的な情緒も価値あり

### 金丸座

毎年４月頃の「四国こんぴら歌舞伎大芝居」で一躍有名に。現存する現役最古の芝居小屋で、客席は江戸期さながらの枡席。舞台や花道との距離が近く、照明も昔ながらのやり方で、一度は行ってみたい「体験型芝居小屋」

### 御園座

芸どころ・名古屋を代表する演劇の殿堂。2015年にいったん閉館後、2018年に建て替えた御園座タワー内に再開場した

### 博多座

九州最大の演劇専用劇場で、歌舞伎公演は2月、6月が恒例。和洋折衷の外観で、売店も含め劇場設備も充実。リッチなロビー、椅子席はゆったり、舞台も観やすい設計で幕見席もあり。５月下旬頃ごろには博多川で「六月博多座大歌舞伎」の船乗り込みも行われる。周辺のグルメめぐりも楽しい

と、いうわけで…

**芝居見物は旅行と似ています**

舞台

# 歌舞伎の舞台拝見！

歌舞伎の舞台にはさまざまな仕掛けと工夫があります。色々な芝居で活躍する舞台機構をひとつにまとめ、架空の絵にしてみました。

**つり枝**
満開の桜の景色を表現する装飾。秋の場面では紅葉、早春は梅の花など季節に応じて変化する

**上手**
舞台に向かって右方向

**定式幕**（じょうしきまく）
歌舞伎の正式な幕で、萌黄色、柿色、黒の3色縞。江戸時代に幕府の許可を受けていた、3つの芝居小屋の幕の色を受け継いでいる

**床**
人形浄瑠璃（にんぎょうじょうるり）がルーツの演目の際に、語りを担当する「太夫」と三味線が演奏する場所。姿を隠す場合と、顔を出す「出語り」がある

**大ゼリ**
舞台の大道具や人物を床下からせり上げる装置。各劇場や演目によって、大、中、小のセリを使い分けている

**ツケ打ち**
木の板に拍子木状のものを打ちつけて効果音を出す

**仮花道**
特定の場面の演出効果を狙って、舞台上手に仮設される道

### 廻り舞台

舞台中央を丸く切り抜いた「盆」の上に乗った大道具や役者ごと回すことにより、観客の目前で素早く舞台転換する仕組み

### 下手

舞台に向かって左方向

### 宙乗り

ワイヤーで俳優を吊りあげて舞台や客席の上を移動する仕掛け。江戸時代からの歴史がある

### 黒御簾（くろみす）

黒いすだれをかけた小部屋の中で、長唄、三味線、鳴り物によって効果音が演奏される

### スッポン

七三（しちさん）近くにある開閉式の切り穴で、セリと同様に下から役者が上がってくる

### 花道

舞台下手の常設の道。主要な役者の登場、退場時で使われる。舞台に近い場所を七三（しちさん）と呼び、いったん立ち止まって演技することも

### 鳥屋と揚幕（とやとあげまく）

客席後方、花道の突き当たりにあるのが揚幕。チャリン！という幕開きの音と同時に役者が登場する。鳥屋は揚幕で仕切られた小部屋で、役者の控え室。衣裳の着替えをすることもできる

### 小ぜり

主として人物をのせる小型のせり

# 一瞬で場面が変わる！「廻り舞台」

ここで登場

「梅ごよみ」

深川芸者・仇吉と米八の恋のさや当てを描いた「江戸のトレンディードラマ」。イケメン・丹次郎が載った船が上手から花道を移動していくと廻り舞台が回り、深川芸者の仇吉が乗ったもう一艘の舟が現れる

自力で移動する船はモーターとゴム製の車輪で動く仕組み。二重になっている船底で操縦役の役者さんが腹這いとなり、先端の窓から外を確認しつつ動かしている

この中に仇吉がいて、船が止まると中から登場する

盆に乗った舞台奥の船が手前にぐるっと移動する

丹次郎ののったもう一艘の船は舞台から花道にさしかかると方向転換して花道を進んでいく

## 芝居だヨ！全員集合!?

往年の人気テレビ番組で一躍有名になった「廻り舞台」は、欧米に先駆けて18世紀に発明された日本独自の装置です。たとえば船同士がすれ違ったり、二つの場面を交互に見せたり、半分だけ回して違う角度から見せるなど、さまざまな使い方ができます。

『新版歌祭文』(野崎村)では、正面の家をのせて180度回ると、家の裏手の川景色に変わります。歌舞伎では、回っている間も芝居が続きます。

# 客席も海や川になる？



ここで登場
「平家女護島（へいけにょごのしま）」
（俊寛）

通称『俊寛』。謀反を企てた罪で流刑となった僧・俊寛が絶海の孤島に一人取り残される絶望を描く

ここで登場
「妹背山婦女庭訓（いもせやまおんなていきん）」
〈吉野川〉

川をはさんで敵同士の家の娘と息子の悲恋を描いた「日本版ロミオとジュリエット」

水の紋様が描かれた5本の円筒（滝車）を横に重ね、クルクル回して急流を表現

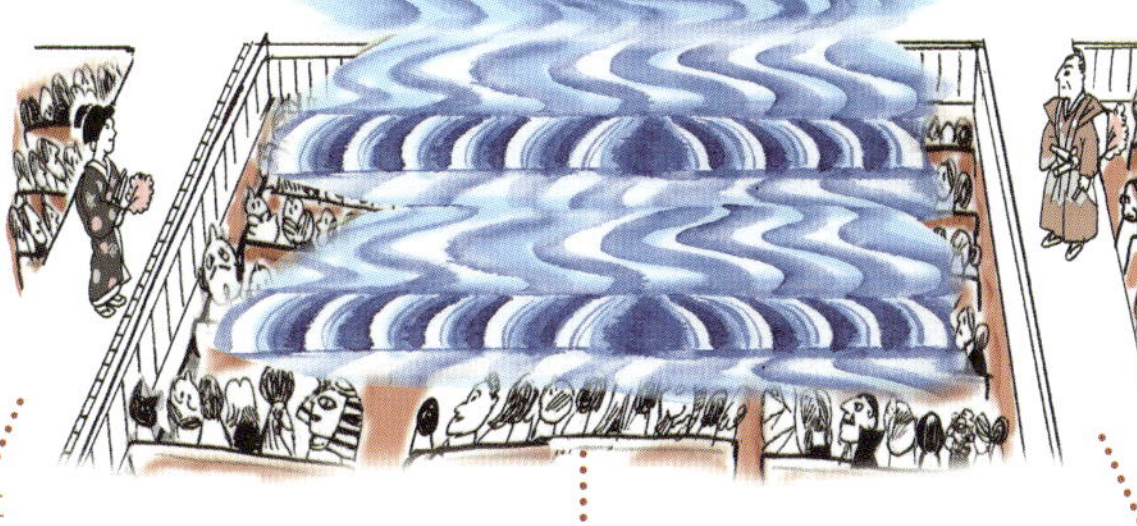

土手に見立てた花道

客席は吉野川に見立てられる（実際には布はかからない）

土手に見立てた仮花道

## 客席も海や川になる？

『俊寛（しゅんかん）』では孤島の砂浜が一瞬にして大海原に変化する、廻り舞台を使った名場面があります。盆が回ると奥の大岩が手前に移動し、「浪布（なみぬの）」という浪模様の布が舞台や花道に現れ、一面の海に早変わりします。客席からの視点では海から島を眺める構図に。『妹背（いもせ）山婦女庭訓（やまおんなていきん）』の〈吉野川〉の場では上手にも仮花道を作り、二本の花道を土手、花道に挟まれた客席を滔々たる吉野川の流れに見立てた演出がされます。

## ワープも心情も表現する「花道」

### 廊下から空中まで変幻自在

単なる通路の役割を超えた「花道」。役者が立ち止まれば「スポットライト効果」を生み出します。舞踊『吉野山』では、花道で過去の旅の様子を演じる「タイムマシン効果」、〈熊谷陣屋〉（189頁参照）の熊谷の引っ込みでは、つらい心の中をのぞきこむような「クローズアップ効果」を演出します。

「先代萩」床下の場

妖術の使い手仁木弾正がスッポンから登場しフワフワと虚空に浮かぶような足どりで引っこむ。この時花道は空中と化す！

『伽羅先代萩』床下の場では、お家乗っ取りのため幼君暗殺を企てる悪人方の仁木弾正らと、幼君の乳人（乳母）・政岡をはじめとする善人方の対決を描く

## 「スッポン」から登場するのは異形のもの

### 花道の穴には要注意

ここから現れるのは、動物や妖怪変化、忍術使いなど普通の人間ではありません。〈道行初音旅〉（吉野山）で、ここから登場する狐忠信は狐の化身です。対してセリから現れるのは、ほとんどが普通の人間です。

# 見れば身分や出自がわかる「塀・床」

## 見ればわかる!?住人が「塀」

「練り塀」は、粘土質の土に瓦をサンドイッチ状にはさんだ塀で、寺院らしく質実な雰囲気です。

赤い色が優美な「庭塀」は、遊廓らしい色っぽさが。薄板を編んだ凝った造りの「網代塀」は、数寄屋建築にも使われるもので、館の主の風雅な趣味を感じさせます。

ここで登場
「三人吉三巴白浪」〈大川端〉⇒P.194〜195

「三人吉三」の練り塀
三人の盗賊が出会う場面
背景の塀は寺特有のもの

網代塀（御殿）

なまこ塀（武家）

庭塀（遊廓）

## 「床」の高さは身分の高さ

座敷や床下が、舞台より高くなっているのは上級の武家や公家の館。一尺四寸（約42センチ）や二尺八寸など住人の身分ごとに高さが決まっており、庶民の家ほど低くなります。役者は決められた高さに慣れているので、足元を見ずとも演技ができるのです。

ここで登場
「盛綱陣屋」⇒P.073

商家や農家
「弁天小僧」浜松屋の場など

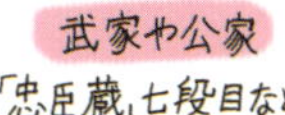

武家や公家
「忠臣蔵」七段目など

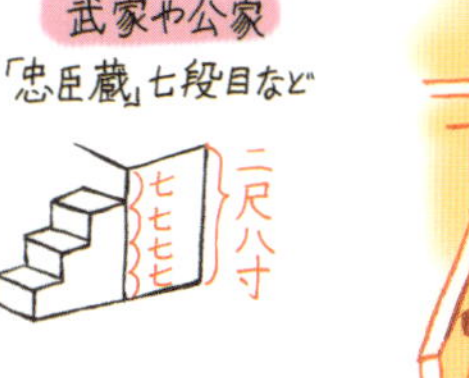

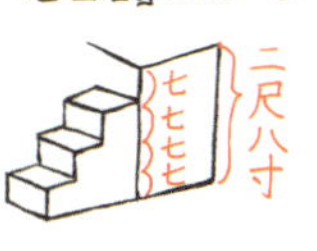

## 歌舞伎には欠かせない「幕」

### 水色は「まだ見えません」の印

おなじみ3色の「定式幕（じょうしきまく）」は、踊りや新作劇を除き伝統的な演目で必ず使われます。演目によっては、定式幕が引かれた後、「浅葱幕（あさぎまく）」という水色1色の幕が風をはらんだように登場します。この幕は、「光に包まれた向こうに何かがあるが、まだ見えない」状態を表します。

「チョーン」という柝の音と同時に浅葱幕がパッと振り落とされ、きらびやかな遊廓や豪華な山門が一瞬にして目の前に現れる

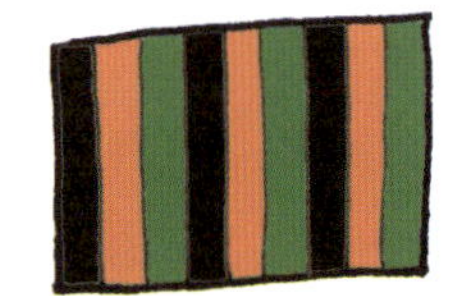

定式幕は歌舞伎座や国立劇場など、劇場によって配色の順番が違う

## 幕の中の「大仕掛け」もいろいろあります

### ダイナミックな「がんどう返し」

大道具を90度後ろに倒して裏返すことで、底面に描かれた場面に転換する大仕掛けで、「どんでん返し」の語源でもあります。「どんでん、どんでん」という鳴り物の音が転じてこの名が付いたと言われています。

ここで登場
「白浪五人男（しらなみごにんおとこ）」
⇒P.192
〈極楽寺屋根立腹〉

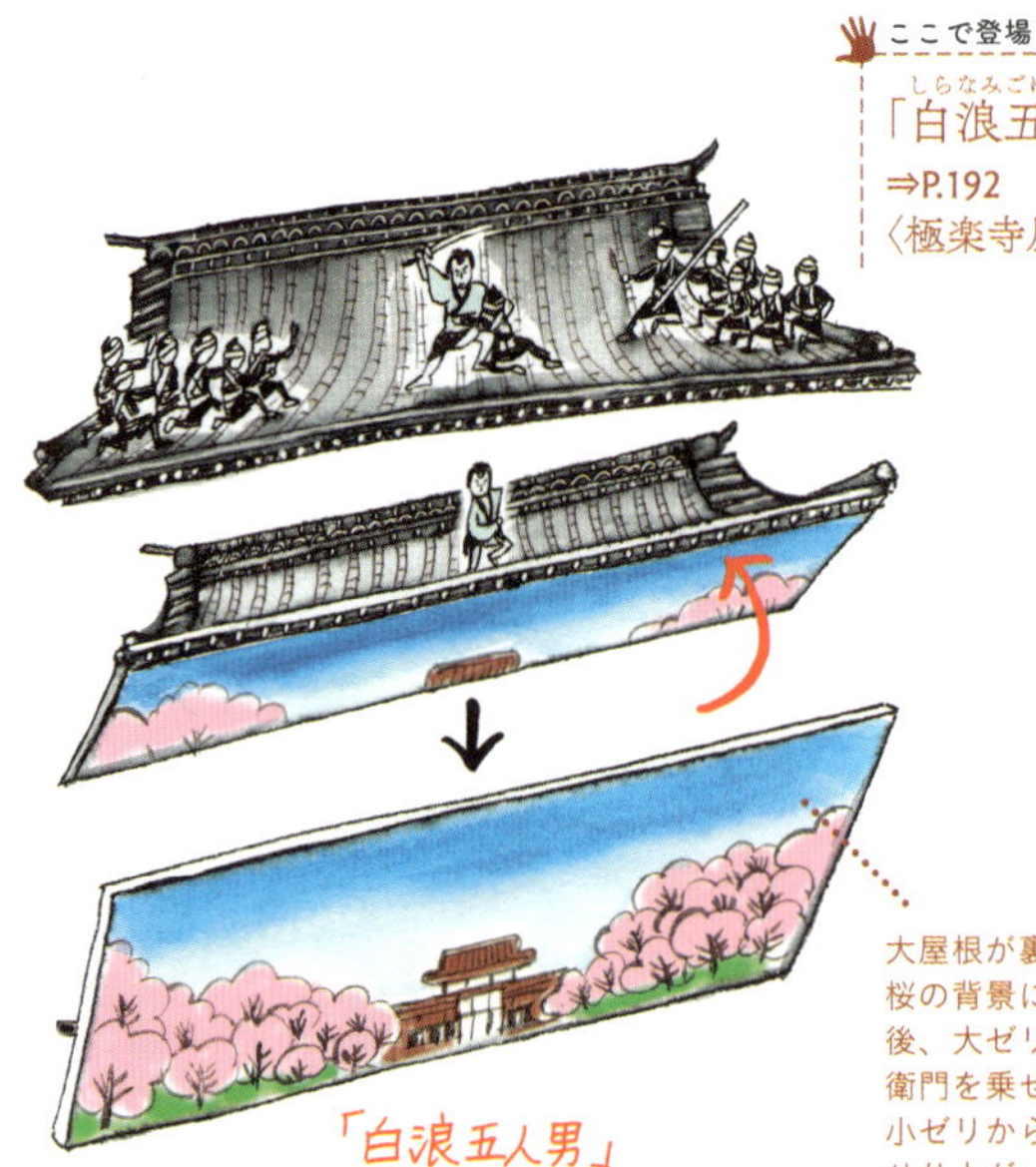

「白浪五人男」
大屋根が短時間で遠山桜に変身！

大屋根が裏返り、一面の桜の背景に変わる。その後、大ゼリから日本駄右衛門を乗せた豪華な山門、小ゼリからは橋と武将がせり上がってくる

## ケレン味あふれる「本水（ほんみず）」

流れ落ちる滝の場面などで本物の水を使う演出。近年は特に大がかりとなり、トン単位の水でずぶぬれになりながらの立ち回りの迫力は一見の価値あり。

ここで登場
「怪談乳房榎（かいだんちぶさえのき）」
殺された画家と善良な下男、悪党がからむ人間ドラマ。下男と悪党の一人二役がキモ

滝の水が流れ落ちるなかでの立ち回りは吹き替えを使った一人二役で大迫力！

## 一瞬で潰れる「屋台崩し」

舞台上の建造物が観客の面前でぺしゃんこになる演出。『忍夜恋曲者』では、大音響の効果音とともに、荒れ果てた古御所の壁や屋根が落下し、大屋根が下がって潰れていきます。

ここで登場
「忍夜恋曲者（しのびよるこいはくせもの）」（将門（まさかど））⇒P.080

完全に潰れた屋根の上には、大ガマを従えた滝夜叉姫が登場する！

**と、いうわけで…**

CGもビックリ！　アナログの底力を見よ！

COLUMN

## 『石切梶原』にみる ヘンテコなネーミングの由来

歌舞伎を観ていると、ふと小さな疑問が湧いて来ます。たとえば名刀をめぐる時代物の人気作品『梶原平三誉石切』(石切梶原)。劇中に登場する酒乱の罪人「剣菱呑助」は、試し切りにされてしまう三枚目で、色々な酒の名前を入れこんだ「酒づくし」のせりふで有名ですが、なぜか歌舞伎に登場する日本酒の銘柄は「剣菱」が多いのです。実は面白い理由がありました。

「剣菱」は日本で最初に商品名を冠された酒で、江戸時代は兵庫県伊丹市で製造されていました。流通が発達した江戸中期、船で江戸へ送られる上方の物産は「くだりもの」と呼ばれ珍重されましたが、剣菱はその代表的ブランドだったのです。当時の物産の中心地は上方で、つまらないものを指す「くだらない」の語源だという説もあるくらいです。

「剣菱」の新酒は、毎年十一月頃に江戸に届きはじめ、まるでボジョレ・ヌーボーの解禁を思わせる一大ブームとなりました。文化文政期には最盛期を迎え、同時代の劇作家・鶴屋南北の作品には、物乞いが「剣菱」の焼き印が押された酒樽の菰を、防寒コートとして自慢気に着ている場面も。そのブランド崇拝は、江戸隅々まで浸透していたのです。ちょっとした細部にも、ちゃんと理由があるのが歌舞伎の楽しさです。

# 二章
# 早わかり！歌舞伎のツボ

衣裳と小道具

# はがれるのはウロコだけじゃない

ここで登場

「奥州安達原（おうしゅうあだちがはら）」

中央政府（源氏）に追いつめられた東北の荒ぶる豪族・安倍貞任を中心とする一族の魂と、ゆかりの人々の運命を描く古怪味たっぷりの大河ロマン

冠も素早くとって毛を乱す

ぶっ返った衣裳を後見が後ろから持ち上げ、スケールの大きさを表現

**安倍貞任（あべのさだとう）のぶっ返り**

公家に偽装していた安倍貞任が正体を見破られ、ぶっ返って荒武者の本性を表す。上品で優しげな公家と野趣あふれる武者の演じ分けもポイント

## 歌舞伎の「型」を理解しよう

たとえば歌舞伎の解説で目にするこんな文章。「ぶっ返って立ち回った後に幕となる」。

わかりやすく言うと「上半身の衣裳がはがれて垂れ下がった結果、それまでとはガラリと違う姿となり、大暴れした後に幕が閉まる」ですが、はがれるのは衣裳だけではなく「装っていた仮の姿」。この変身術は「ぶっ返り」と呼ばれ、隠れていた本性が現れる瞬間を視覚化したものです。

このような歌舞伎独特のルールを理解すれば、目からウロコが落ちるように、見方もガラリと変わります。

歌舞伎の演出はすべて「型」と呼ばれる様式で構成されています。かつらの形、顔の色、衣裳の色形などによって、どんなキャラなのかが決まっています。

人物のみならず、塀や床などの舞台装置や、伴奏音楽にいたるまで、あらゆるものに型があります。型さえわかれば、初めて見る芝居でも、状況や登場人物の設定がつかめます。

# これがぶっ返りの原理だ！

ここで登場
「積恋雪関扉（つもるこいゆきのせきのと）」 ⇒P.081
天下を狙う大伴黒主（おおとものくろぬし）は関所の番人・関兵衛に偽装しているが、遊女に変身した桜の精に口説かれる。桜の精は恋人を黒主に殺されており、二人が正体を現して争う舞踊劇

同時に髪型も変化

糸の先の玉を後見が引っ張って引き抜く。直径1.5センチほどの玉は、中に詰め物をした軽く丁寧な作りで、衣裳と同じ布で作られている。観客から見えない部分にも美意識がある

引き抜かれた上半身の衣裳が下半身を覆う

## 上半身の衣裳が裏返ると本性が現れる

ぶっ返りは「バナナの皮構造」です。黄色いバナナを半分までむくと、中の実と皮の裏の白色が現れ、形も変わります。ぶっ返りは、後見が上側の着物を縫い付けている糸を素早く引き抜いて衣裳をはがしますが、中の着物とめくれて垂れ下がった着物の裏が、表とは違う色柄になっています。衣裳の上に別の衣裳をかぶせたものを引き抜く「かぶせ」とは違い、「内面のキャラ」まで大きく変わるのがポイントです。

# 紫色の衣裳

**伊左衛門（いざえもん）**

勘当されてスカピンになった商家の若旦那。馴染みの遊女・夕霧に会うため、紙衣姿で遊郭をおとずれる。寒風の中で優男がつぶやく「紙衣ざわりが荒い、荒い」という台詞で有名

ここで登場

「廓文章（くるわぶんしょう）」（吉田屋）

夕霧からの手紙をつないで作った設定の紙衣。「恋しく」などと読める文字部分は、金銀の縫い取りで、衣裳としての美化がされている

**八重桐**

あの金太郎の母親という設定。自分を捨てて失踪した夫に複雑な想いを抱く

ここで登場

「八重桐廓噺（やえぎりくるわばなし）」（嫗山姥（こもちやまんば））

落ちぶれた元遊女・八重桐が元夫に偶然再会して、満座の中で再現ドラマよろしく不実をなじる「しゃべりの芸」が見どころ

**助六**

ケンカっ早さを心配した母親に紙衣を着せられる。意外にも原作は上方で、柔らかみのある一面を見せるための演出

ここで登場

「助六由縁江戸桜（すけろくゆかりのえどざくら）」（助六）⇒P.054、124、184～185

## 貧乏なう！

歌舞伎には様々な事情で人目を避けているキャラがよく登場します。古手紙をリサイクルした紫の着物（紙衣（かみこ））を着た人物は落ちぶれていることを意味します。このように本来の身分や立場を離れ、一時的にいやしい身分になった状態を「やつし」と呼びます。紙衣姿でやつしている若旦那は、柔らかな「和事（わごと）」の演技を特徴とする、上方（かみがた）歌舞伎の象徴です。また紫の着物は、しばしば「世をしのぶ仮の姿」を暗示します。

# 緑色の衣裳

ここで登場

「新版歌祭文」（野崎村）

⇒P.066

幼なじみの久松との婚礼を控えた田舎娘のお光の家に、都会の商家の娘・お染がやって来る。久松とお染が深い仲と知ったお光は、自ら身を引く決心をする

ここで登場

「伊勢音頭恋寝刃」⇒P.090～091

伊勢神宮の神官・福岡貢は主家の命で失われた名刀を探している。馴染みの遊女・お紺は敵をあざむくため、わざと貢に愛想尽かしをする。お紺の同僚で三枚目の遊女・お鹿も貢に想いを寄せており、満座の中で心情を訴える場面は、物語のアクセントとなっている。

## 田舎モノのサイン

緑色の着物を着ている女性は、田舎娘か三枚目キャラです。田舎娘は、豪華な振り袖姿の町娘とはキャラも対照的。おっとりした町娘とは違い、活発で真面目な働き者ですが、恋愛においては弱者で、自己犠牲を払いがち。『新版歌祭文』（野崎村）のお光はその典型で、恋のライバルである洗練された町娘・お染を一目見るなりコンプレックスを感じます。また、緑色の着物の腰元や遊女は、三枚目キャラの担当です。

# 襟と帯

ここで登場

「妹背山婦女庭訓」（妹背山）
〈道行恋苧環・三笠山御殿〉
⇒P.190～191

天下を狙う蘇我入鹿の野望を、身分を隠して阻止しようとするVIP青年・求女と、彼に恋した可憐な美少女・お三輪、入鹿の妹・橘姫がからむ古代ロマン

黒繻子のかけ襟
帯の素材は染物で、両サイドに黒繻子があしらわれている
結び方は「振り分け」

〈庶民女性〉
お三輪

若いセレブ男性は、刺繍などをあしらった美しい着物が定着

〈セレブ男性〉
求女
（実は藤原淡海）

四段になった銀色の大きなかんざし

かけ襟はなし

立体的で豪華な質感の織物の帯

〈セレブ女性〉
橘姫

斜めに傾けた「立て矢結び」。帯の羽根の向きは屋敷内では右肩だが、外出時は左肩にする。これは警護の侍がいない外で敵が襲って来た時、右手で懐剣を使う邪魔にならないようにするため

〈腰元〉

左右に羽根を出した「文庫結び」

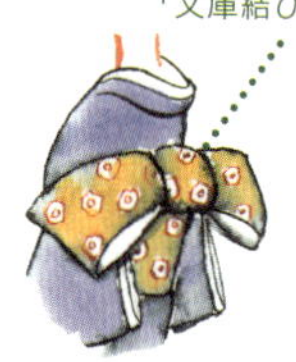

〈武家女房〉

「角出し」というお太鼓結び。帯は片面が黒繻子のバイカラー仕立て。前は黒繻子側を表にし、上を少し折り返して柄をチラ見せする

〈庶民女性〉

### 帯結びでも身分がわかる

武家と庶民で結び方も違う。角出しはお太鼓結びの一種。年配の女性は身体の前でお太鼓結びにする場合も

## 庶民とセレブの見分け方

似た年格好の若い娘も、庶民（田舎娘や町娘）とセレブ（武家の姫など）とでは、身に着ける衣裳が違います。若い娘の身分を見分ける最大のポイントは、襟と帯にあしらわれる黒繻子（黒く光沢のある布地）の有無です。庶民の女子は着物の襟に汚れがつくのを防ぐため、黒繻子の「かけ襟」をしていました。一方、帯の結び方は若い娘特有の両端を長く垂らした「振り分け」が一般的で、庶民・セレブ共に同じです。

# 首桶

〈舎人〉
**松王丸**
敵方の武将と源蔵が見守る中、わが子の首を首実検する

ここで登場
「菅原伝授手習鑑」〈寺子屋〉
⇒P.172〜173
管丞相（菅原道真）に恩義のある松王丸と源蔵は、丞相の一子・菅秀才を政敵から救うため、それぞれに苦悩する。心ならずも敵方の家来となっている松王丸は、わが子を菅秀才の身代わりとするため、わざと源蔵の営む寺子屋に送り込んで犠牲にする

切り首にもランクがあり、ここで使われる桐製の上等な「上首」は、現実の役者の顔に似せたリアルなもの。木綿の袋に目鼻を描いただけのものが「駄首」。上等な首ほど悲劇度も増す

## 切られた首はたいがい偽物です

討ち取られた首が本人かどうか、身内や顔見知りが直接確かめることを「首実検」といいます。この首はたいてい偽物で、首を確認（実検）する主人公が、とある理由のために大勢の前で「本心をひた隠して、真実を偽る演技」が見どころになります。

つまり、首桶にすえられた首を前にして発せられる台詞は、疑ってかかるべし。つらい思いを押し隠している主人公は、身内の情に厚いのもお約束です。

**と、いうわけで…**

**歌舞伎に「何となく」はありません。**
**舞台上のすべての色形に意味があり、それが「型」です**

動物

# 動物だって〝歌舞く〟のです

## 馬は大道具か小道具か？

たとえば馬。作り物の胴体部分を、前後二人の人間がすっぽりかぶり、人の足が馬の足になる仕組みです。この馬は大道具、小道具どちらでしょうか？

答えは小道具。家や岩、背景など動かない「不動産」は大道具。茶碗やタンスなど、引っ越しで持って行く「動産」が小道具。馬をはじめとする生き物も、大小にかかわらず小道具です。

「馬の足にも芸談がある」とよく言われます。馬自体の重量に加え、鎧兜（よろいかぶと）をつけた役者が乗ると、総重量は百五十キロ以上。乗った役者が落ちないよう、前後でバランスをとるのは重労働です。馬の胴体の中にあるベルトで身体を固定し、胸と腹の覗き穴から外が見えるよう工夫されています。

軽く丈夫に作るため、馬の本体は竹の骨組みに成型したヘチマで肉付けし、目はガラス、尻尾やたてがみは本物の馬の毛です。面白いのは皮。名馬は馬の質感に似たビロード、農耕馬には木綿を貼るそうです。

## 遠景は子役で

ここで登場

「一谷嫩軍記」〈組打〉
⇒P.188

戦いの遠景場面は「ほにほろ」というスカート状の小さな馬の胴体を、子役が腰につけて演じる。このような歌舞伎独特の遠景表現を「遠見」とよぶ

「ほにほろ」の語源は、江戸時代、腰に張り子の馬をつけた飴売りの「ほにほろ、ほにほろ」という呼び声が元だそう

## よっ、名演技！

ここで登場

「近江のお兼」
⇒P.214

力持ちの村娘・お兼が暴れ馬を取り押さえる舞踊劇。
『小栗判官』という演目では、人間を乗せた馬が、碁盤の上でさお立ちする大技も！

後ろ足役が前足役を支え、息を合わせて、さお立ちに！

馬の造型も滑稽な内容に合わせ、キュートでユーモラスな外観

ここで登場

「馬盗人」

馬を盗もうとする二人組の悪だくみで、馬が擬人化するコミカルな新作舞踊劇。踊ったりしなを作りながら歩き、引っ込みで六方まで踏む馬の演技に喝采！

**と、いうわけで…**

**本物以上に複雑な動きと感情を見せるのが歌舞伎の動物です**

# 歌舞伎動物図鑑

芸達者が勢ぞろい！

舞台に立つ動物たちは、着ぐるみ系、棒で操る系、手に持って動かす人形系、派手な仕掛け系などさまざまです

## 着ぐるみ系

### 鼠（ねずみ）

ここで登場

「鳥羽絵（とばえ）」

ナンバーワンの口説き上手。人間の女性になりきった鼠が、しなを作って商家の下男と一緒に踊る。芸達者ぶりが軽妙な清元の演奏とピッタリ

### 猪（いのしし）

ここで登場

「仮名手本忠臣蔵（かなでほんちゅうしんぐら）」〈五段目〉⇒P.164

「五段目で運のいいのは猪ばかり」と古川柳にもあるように、悲劇の色男・勘平の鉄砲を逃れた猪が、勘違いの原因を作る。前足は作り物、後ろ足が人の足で、かがんだ姿勢のまま、うさぎ跳びの要領で花道から舞台を走り回るのは重労働

### 象

ここで登場

「象引（ぞうひき）」

歌舞伎十八番のひとつ。二人の豪傑が象を引っぱり合う荒唐無稽さが楽しい。最後は大人しく豪傑に従い、花道を六方を踏んで引っこむなどして観客を楽しませる

### 虎

ここで登場

「国性爺合戦（こくせんやかっせん）」⇒P.051

豪傑・和藤内（わとうない）の虎退治の場面で登場する重量感のある着ぐるみ。後ろ足で立ち上がるなど、中の人も重労働。絵描きの奇跡の物語『傾城反魂香（けいせいはんごんこう）』でも虎が登場する。

# 小道具系

## ガマ

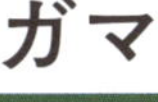

ここで登場

「天竺徳兵衛韓噺（てんじくとくべえいこくばなし）」

妖術使いの天竺徳兵衛が乗る大ガマは、小道具としても最大級。口から煙を吐くなど、仕掛けも大がかりな「歌舞伎版ゴジラ」だ

## 竜

ここで登場

「鳴神（なるかみ）」

鳴神上人によって滝壺に封じ込めた竜神を、雲絶間姫（くものたえまひめ）が逃がす。糸でつり下げられて大滝を登るが、意外な小ささが古劇にふさわしい

## 鼠

ここで登場

「金閣寺」⇒P.065

差し金という棒の先につけて黒衣が操作。縛られた雪姫の縄を食い切って助ける。最後は背中が割れて、中からパッと桜の花びらが舞い散って消える仕掛け

## 狐

ここで登場

「本朝廿四孝（ほんちょうにじゅうしこう）」〈奥庭〉⇒P.065

諏訪明神の使いの白狐が、愛しい武田勝頼の危機に駆けつけんとする八重垣姫（やえがきひめ）を助ける。口を開けたり耳をかいたり、黒衣が手に持って表情豊かに操る

## 鶏（にわとり）

ここで登場

「菅原伝授手習鑑（すがわらでんじゅてならいかがみ）」〈道明寺（どうみょうじ）〉⇒P.169

『東天紅（とうてんこう）』とよばれる場面で時をつげ、重要な役割を果たす。バタバタとはばたく仕掛けつき。足元に亡きがらがある時に鶏が鳴くという俗信がベース

食べ物

# 舞台に〝味わい〟を加える小道具

## 実物を食べる

### そば

ここで登場

「雪暮夜入谷畦道(ゆきのゆうべいりやのあぜみち)」

恋人の遊女・三千歳(みちとせ)に会うために雪の中をやって来た、おたずね者の片岡直次郎。そば屋に入り、燗酒とかけそばを粋にすする。その直前にやって来た二人の追手は、わざとモソモソと食べて、後の直次郎の食べっぷりを引き立てる

そばは劇場内の食堂が用意することもあれば、近隣のそば屋に外注することも

場末のそば屋の情緒も満点。店主がそばをゆでる時、モワッと立ちのぼる湯気も、寒い戸外と店内の温度差を感じさせて効果的

### ご飯

ここで登場

「都鳥廓白浪(みやこどりながれのしらなみ)」

お家騒動で没落して盗賊となった若君・松若丸が、捕り手を相手にご飯を食べながら演じるのが「おまんまの立ち回り」。捕り手をかいくぐりながら松若丸に給仕する手下の動きもユーモラス

## 甘い刺身やおにぎりって？

舞台の「食」の場面。本物を食べることもあれば、それらしく似せたフェイクの場合もあります。これらは「消え物」といって、基本的には小道具方が準備します。たとえば柿などの果物は、演技をしながら食べやすいよう特注の和菓子を使ったり、刺身は羊羹(ようかん)で代用します。ちなみに、『仮名手本忠臣蔵(かなでほんちゅうしんぐら)』〈七段目〉で、主君の命日前で精進中の大星由良之助(おおぼしゆらのすけ)が、裏切り者の斧九太夫(おのくだゆう)に食べさせられる「蛸(たこ)の足」も羊羹です。

# 見た目も良くできたフェイク

## カツオ

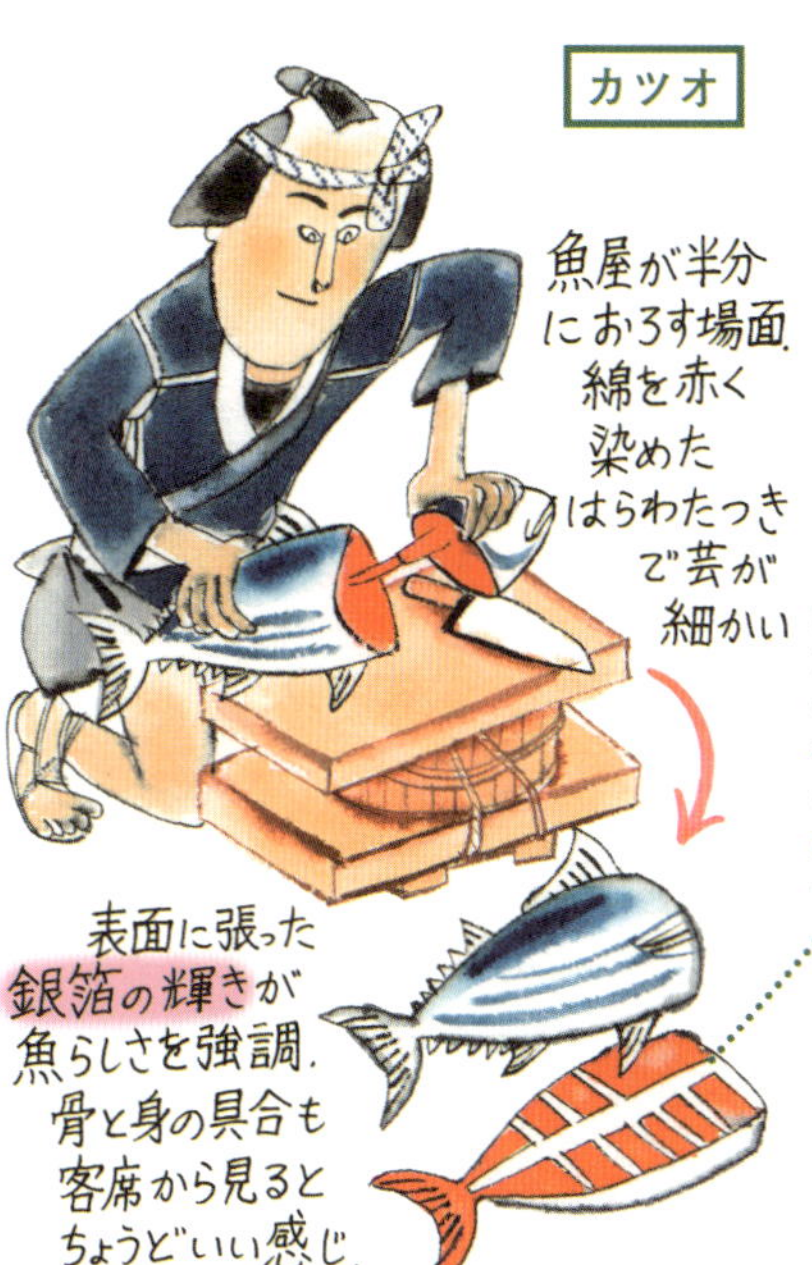


魚屋がさばく作り物のカツオは、乾燥させたヘチマを成形して作られている。包丁を入れるとゴロリと半身が転がって、中の身が現れる仕掛け

ここで登場
「梅雨小袖昔八丈」（髪結新三）⇒P.098

商家の娘の誘拐計画が成功して気を良くした小悪党の新三が、魚屋から初カツオを一本丸ごと買うシーン

新三の家にやって来た家主がうまそうに食べる刺身は、薄く切った赤い羊羹。傷みやすい生魚は舞台で使えないためだが、いかにも本物らしく見える

## おにぎり

本物の場合と、マシュマロを使う場合がある

ここで登場
「伽羅先代萩」

大名の幼君・鶴千代を暗殺計画から守るため、乳人（乳母）・政岡が、茶道具で自らご飯を炊き、ミニおにぎりにして食べさせるシーン

と、いうわけで…

**実物もフェイクもおいしそうです**

顔と化粧

# 白は恋愛系、赤は元気系

## 3つの顔色

『義経千本桜』（吉野山）の早見藤太 ⇒P.069、178

義経の愛妾・静と家来・忠信の道行の邪魔をする

〈道化型〉

白色

〈基本型〉

『義経千本桜』の弥助 ⇒P.068、177

すし屋の手代に身をやつしている平家の公達。貴人にして、すし屋の娘・お里に惚れられるイケメン

〈悪人型〉

『金閣寺』の松永大膳⇒P.065

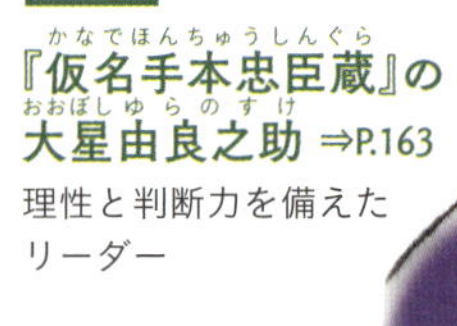

雪舟の孫・雪姫をわが物にしようとする、貫禄たっぷりの大悪人

肌色

『仮名手本忠臣蔵』の大星由良之助 ⇒P.163

理性と判断力を備えたリーダー

赤色

『神霊矢口渡』の頓兵衛

娘が犠牲になっても厭わない強欲な父親

### 顔を見ればキャラがわかる

顔の地色は、主に3種類。白塗りは基本的に貴人か、恋愛に関係のある人物です。異様なほどの白塗りは三枚目の道化役、また凄みのある白塗りはスケールの大きな極悪人です。

赤い地色は敵役が多く、ワイルドでエネルギッシュなキャラ。なかでも「赤っ面」というキャラは、ユーモラスで小憎らしい敵役です。肌色は、比較的現実感のある大人の人物です。

また隈取りの色にもそれぞれ意味があります。

# 隈取りを知る

歌舞伎独特の化粧法で、顔の血管や筋肉を誇張して表現している。役柄によりデザインや色が決まっており、役者自身が描く

## スーパーマンキャラ　赤い隈取りは陽性キャラ。隈取りの線が多いほど超人度が高くなる。

人間 → 超人

〈むき身〉

### 若々しい色男

強いが色気もある。恋人がいる場合も多い。『助六由縁江戸桜』の助六など

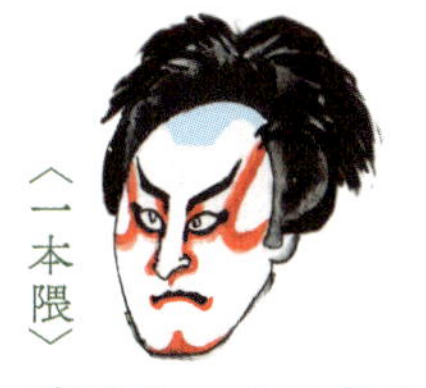

〈一本隈〉

### 頼もしいタフガイ

『国性爺合戦』の和藤内など。場面によって隈の数が変わる

〈筋隈〉

### 最強の正義の味方

『暫』の鎌倉権五郎など。〈一本隈〉の和藤内も怒りがMAXになると筋隈に変化！

## 3枚目キャラ　赤い隈取りでも、動物や植物をモチーフにした滑稽なものは道化役

〈猿隈〉

### ユーモラスな猿顔

最も古い隈取りのひとつ『寿曽我対面』の朝比奈など

〈鯰隈〉

### 典型的な道化顔

口の両脇のひげが鯰のように見える。『暫』の鯰坊主など

〈蝙蝠隈〉

### 5匹の蝙蝠！？

5匹の蝙蝠がデザインされている。赤い唇も蝙蝠の形。江戸時代まで『暫』で使用

## 陰性キャラ　青や茶の隈取りは、陰性キャラで妖気漂う大悪人や妖怪変化

〈公家荒〉

### 天下を狙う大悪人

邪悪な妖気を発する大悪人。『菅原伝授手習鑑』〈車引〉の時平など

〈土蜘隈〉

### 不気味な蜘蛛の精

人間の姿から変身する。『土蜘』の土蜘

〈般若隈〉

### 恨みを抱いた般若の形相

『京鹿子娘道成寺』（後ジテ）では、終盤で正体を現した娘が般若隈に変身する

**と、いうわけで…**

**顔を見れば「いい人」「悪い人」が一目瞭然です**

# 雄弁に語るかつらたち

**かつらの基本構成**

前髪
まげ
たぼ
びん
世話物の若者

男女ともに、前髪、びん(左右の毛)、まげ、たぼの四つの部分に分けられる。ヘルメット状の銅製の土台に、人毛付きの布や毛束を貼り、専門家が結い上げる

**そり跡が伸びたボーボーの毛はアウトローを表現**

『楼門五三桐』の石川五右衛門など。百日間そらずにいた、月代の毛が伸びたもので、大盗賊や大時代なアウトロー。百日より毛の少ない「五十日」は『寺子屋』の松王丸などが用いる

**前髪は若者の証**

『菅原伝授手習鑑』の梅王丸。血気盛んな荒事の強い若者で、「つかみ立て」の前髪は身分の低さも表す

『暫』の鎌倉権五郎などに代表される力強い荒事のヒーロー

## 年齢、身分、性格も一目瞭然

その数、数百種！一目見れば年齢、身分、職業、性格や心理状態までわかります。髪が黒く、まげが太いほど若い人。前髪があれば元服前の若者。年をとるほど髪は薄くなるため、まげも細くなります。全体に茶色がかっているのは、お百姓や行商人など野外労働者。日差しで髪が赤茶けるためです。

かつらは、前髪、びん（左右の髪）、まげ、たぼという、四つのパーツから成り立っています。成人男性は前髪をそりますが、額から頭頂部にかけてのそり跡を「月代」と呼びます。たぼは首筋の真上の部分で、ここがふくらんでいるのは、写実的な世話物の町人。武士のたぼは、まっすぐです。時代物の様式的な武士のたぼは、「油つき」といって、油でつやつやと固められています。時代物の武将の「生締」は、まげを油で棒のように固めたもの。役柄の名称にもなっており、キャラの設定によって細かいアレンジがあります。

# まげとたぼで身分がわかる

**まげ** 髪を束ねて折り曲げた部分。女性のまげは男性より大きくて技巧的

生締（なまじめ）は時代物の成人武士

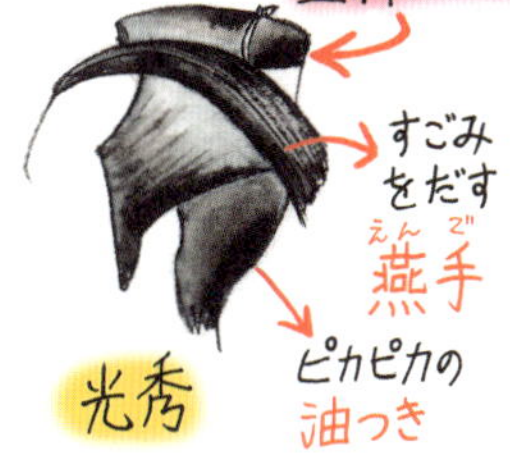


明智光秀がモデルの『時今也桔梗旗揚（ときはいまききょうのはたあげ）』の武智光秀の鬘。「燕手」と呼ばれる、燕の翼のように鬢の左右に張り出した毛束が特徴。「実悪」という役柄に使われ、すごみを表現

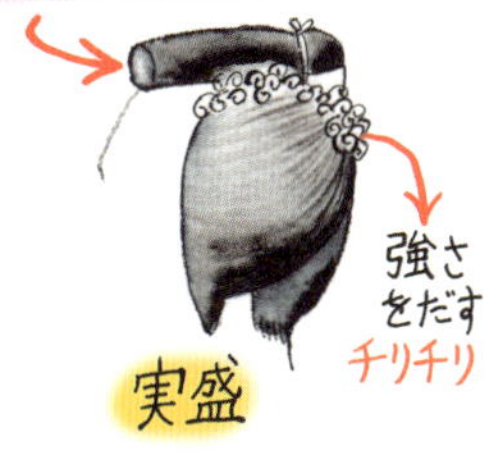


『実盛物語（さねもりものがたり）』の斉藤実盛など。額のそりぎわのチリチリした縮れ毛は、端正ながらも、ひとくせある強さを持ったキャラ

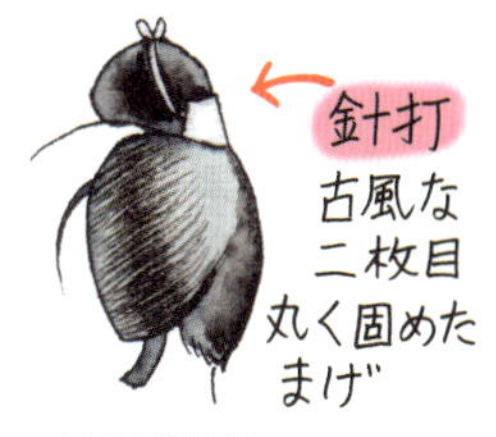


『寿曽我対面（ことぶきそがのたいめん）』の曽我十郎など。ハラリと落ちたほつれ毛とセットで、まろやかさと古風さを表現

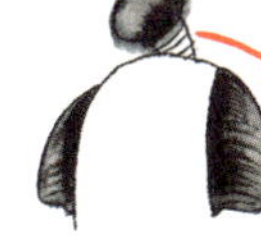

棒茶せんというまげは殿様用。

茶道具の「茶せん」に似ていることからこの名がある

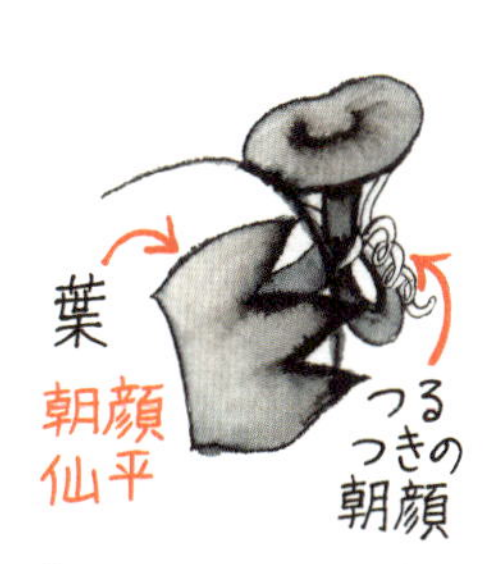


『助六』の道化役で、吉原に登場する奴さんにふさわしく、洒落のめしたかつら

7回がけのほたる打ち

菅丞相

『菅原伝授手習鑑』の菅丞相（かんしょうじょう）のまげで、身分の高い人のもの。まげを縛る組紐が七回なのでこの名がついた

こっけいな番頭のまげ
めがね

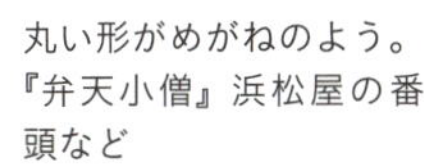

丸い形がめがねのよう。『弁天小僧』浜松屋の番頭など

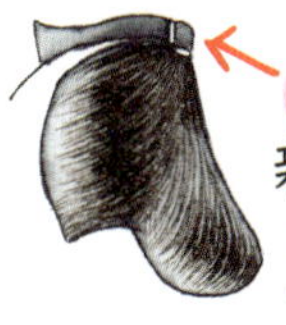


『極付幡随長兵衛（きわめつけばんずいちょうべえ）』の大親分・幡随院長兵衛など。「伊達（だて）」と呼ばれる豪快で洒落た男っぽさを表す

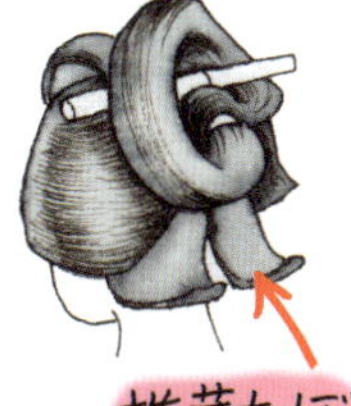


**たぼ** 首の上の髪を指す。椎茸たぼは、局など武家の上級職で、干し椎茸を二つ並べたような平たい形。大奥女性の風俗を取り入れたもの

# キャラのチカラは芝居のチカラ

ここで登場

「助六由縁江戸桜（すけろくゆかりのえどざくら）」（助六）⇒P.184

江戸一番のイケメン・助六が、お家再興と父の仇を討つため、失われた宝刀を探して、花の吉原遊郭でケンカ三昧する祝祭劇

**女形　揚巻（あげまき）**

吉原一の花魁（おいらん）で助六の恋人。トップの女形のつとめる役

**敵役　意休（いきゅう）**

揚巻にぞっこんのお大尽で、助六の恋のライバル。実は天下を狙う謀反人。座頭級の役者がつとめる役

**立役　助六**

本来の身分を隠して吉原に通うモテモテの男伊達

この場のうちかけは揚巻役の女形が好きな画家に墨絵を描いてもらう

二度目の登場時で着用される七夕モチーフのまな板帯

## まずは「立役」「女形」「敵役」

歌舞伎を見るということは「役者の演技を見る」ということ。その演技の根幹となっているのが「役柄」です。役柄がわかれば、劇中の人物がどんなキャラなのか一目瞭然です。

役柄は、人物の代表的なタイプを類型化した「型」のひとつです。たとえば一口に武士と言っても、身分や性質で、さまざまなタイプ分けができます。役者を見る時は、まずは演じている役柄が似合っているか。さらに主役クラスともなれば、プラスαの存在感や個性があるか。役者の工夫や技量も重要になります。

役柄は大きく分けて、「立役（たちやく）」（男性役）、「女形（おんながた）」（女性役）、「敵役（かたきやく）」があり、その中でさらに細分化されています。たとえば敵役の中の「色悪（いろあく）」という役柄は、セクシーなイケメン悪党で、女性をだますのがお約束。会話の中では、「あの役者さん、色悪もできそう」という感じで使われます。もちろん役者によって似合う役柄も違います。

# 三つ子でもキャラは大違い

ここで登場
「菅原伝授手習鑑」
⇒P.168〜173
学問の祖・菅原道真（菅丞相）の失脚と、三つ子の兄弟・梅王丸、松王丸、桜丸をはじめとする周辺の人々の生き方を描く

**荒事** 梅王丸
血気盛んで活発。太宰府に流された丞相を追う

着物の柄も梅模様。道真ゆかりの太宰府天満宮の飛梅伝説を連想させるキャラ

〈寺子屋〉の場で登場する仮病という設定で額の毛が伸びた「五十日」という鬘。後半で地味な衣裳に変わったのに合わせて小ぶりのものにかけ変えている。

**実事** 松王丸
心ならずも丞相の敵方に仕えているが、丞相の一子を救うため人知れず苦悩する

〈賀の祝〉の場面では奥の部屋からのれんを分けて登場する姿ではかなさを印象づける

**和事** 桜丸
丞相失脚の一因を作ったことを悔いて切腹する悲劇の青年

## 立役は3種に分けられる

立役を演出的視点から見ると、「荒事」、「和事」、「実事」という3つの役柄に分けられます。荒事は、誇張された派手な衣裳や隈取り、見得でおなじみの豪快な正義のスーパーマン。対照的に和事は、柔和で優美な優男。なよっとした商家の若旦那や品のある若侍という設定で、白塗りの顔と、やや女性的な演技が特徴です。実事は、判断力のある大人の男性。困難に立ち向かい、問題解決に向けて思慮深く行動します。

# 「曽我物」に見る役柄のショーケース

ここで登場

「寿曽我対面」(対面)

源頼朝の信任の厚い大名・工藤祐経は、富士の狩り場の奉行の地位まで登り詰める。その祝いの場にやって来たのは、工藤を父の仇とねらう曽我五郎・十郎兄弟。仇を討とうとはやる五郎を十郎が止める。曽我の忠臣が友切丸を持参し、それを見た工藤は、狩り場の通行切手を兄弟に与えて再会を約束する

**座頭** 工藤祐経

一座の座頭級が演じる役。大人の度量と貫禄を持つ大名。紛失中の宝剣・友切丸が見つかるまでは仇討ちはできないと曽我兄弟をさとす

**立女形** 大磯の虎

女形トップの役。祝いの場に呼ばれた遊女で、兄弟に同情的。工藤にも兄弟にも堂々と品良く接する態度が、立女型の風格と二重写しになる

**数ある曽我物の原型!**

元の話がわからないほどアレンジを加えるのが歌舞伎の作劇法だが、本作は「曽我物」の原型で、キャラを見せるヒーローショーのようなものと言える

## 役者の存在感を見較べる幕

「曽我兄弟の仇討ち」という事件を基にした作品群を「曽我物」(84頁)と呼びます。江戸時代の「初春興行」では、曽我物をかけるのが恒例で、なかでも『寿曽我対面』は、歌舞伎の代表的な役柄がそろう祝祭劇。兄弟が父の仇に対面する、それだけの幕ですが、劇場が年間契約した役者の顔ぶれを年初に披露する意味合いがありました。野球チームのように、役者のポジションや地位や技量が一目でわかる仕組みです。

## 「キャラの対比美」がキモ！

**荒事** **曽我五郎**

血気盛んな性格。肩衣と上の着物を肌脱ぎしたポーズにも、若さと力強さがあふれる

### 違いが際立つ兄弟

兄・十郎は和事、弟・五郎は荒事で演じられる。化粧やかつらも違い、おそろいの衣裳も着付け方で個性の違いを出している

**和事** **曽我十郎**

温和で落ち着いた性格。仇の工藤に飛びかかろうとする五郎を制止するポーズにも柔らかみがある

**道化役** **小林朝比奈**

愛嬌ある道化役。兄弟を工藤に引き合わせる。出演メンバーによって妹の舞鶴になったり両方でる場合も

**実事**
**鬼王新左衛門**

誠実な大人の男性の役。兄弟に宝剣・友切丸を渡しに駆けつける曽我家の忠臣

**若女形**
**化粧坂の少将**

一座のナンバー2の若手女形の役。大磯の虎と同じく祝いの席に呼ばれた遊女

**と、いうわけで…**

**役者は、その肉体をもって観客にも「対面」しているわけです**

# 立役の役柄図鑑

## 善人方・スーパーマンから悪人方まで

立役は尋常な男性の役ですが、役柄分担の厳しかった江戸時代とは異なり、現代では立役が敵役も兼ねています

## 善人方

色白なほど、恋愛に関係しているか貴人。
肌色は現実味のあるキャラです。

〈実事〉
**大星由良之助**

思慮分別を備え困難に立ち向かう大人の男性

ここで登場
「仮名手本忠臣蔵（かなでほんちゅうしんぐら）」
⇒P.163
主君の仇を討とうと心を砕く浪士のリーダー

〈和事〉
**忠兵衛**

色気と柔らかみを備えた優美な男性

ここで登場
「恋飛脚大和往来（こいのたよりやまとおうらい）」
惚れた遊女のため、はずみで公金横領してしまう悲劇の青年

〈荒事〉
**狐忠信**

血気盛んな若者で正義のスーパーマン

ここで登場
「義経千本桜（よしつねせんぼんざくら）」
〈鳥居前〉⇒P.178
源義経ら一行を助けて活躍する狐の化身

〈辛抱立役〉
**福岡貢**

ガマンを強いられる立役のこと

ここで登場
「伊勢音頭恋寝刃（いせおんどこいのねたば）」
⇒P.090
主家再興のため奔走する神官で、遊郭の仲居の悪口にひたすら耐える

〈和実〉
**梶原平三**

和事と実事の中間で、柔らかみと誠実さを備えたさわやかな成人男性

ここで登場
「石切梶原（いしきりかじわら）」
⇒P.036、139
稀代の名刀と出会い、奇跡をおこす知勇すぐれた武士

〈若衆（わかしゅ）〉
**白井権八**

成人前の武家の少年で、たいてい美少年

ここで登場
「御存鈴ケ森（ごぞんじすずがもり）」
大親分・幡随院長兵衛の目にとまる凄腕の少年浪人

# 悪人方

役柄で特に目を引くのが敵役のバラエティー。ワル度の目安は化粧で、スケールが大きいほど青白くなります。

## 巨悪

〈国崩し〉
**松永大膳**

国家を乗っ取ろうとするスケールの大きな悪人

ここで登場

「金閣寺」⇒P.065

計略を使い、雪舟の孫・雪姫をわが物にしようとする謀反人

〈公家悪〉
**藤原時平**

位の高い不気味な悪人で、魔王的な力の持ち主。空想的なスケールの大きさを持つ

ここで登場

「菅原伝授手習鑑（すがわらでんじゅてならいかがみ）」
〈車引〉⇒P.170

菅原道真を失脚させ、皇位も狙おうとする公家

## 中悪

〈色悪〉
**民谷伊右衛門**

女性をだますニヒルでクールなワルの色男

ここで登場

「東海道四谷怪談」
⇒P.196

妻・お岩をしいたげる、色と欲に目がくらんだ浪人

〈実悪〉
**武智光秀**

比較的現実味のある悪人「(実悪は) いつも何か思案しているように演じよ」いう口伝がある

ここで登場

「時今也桔梗旗揚（ときはいまききょうのはたあげ）」

サディスティックな主君・小田春永に謀反をおこす

## 小悪

〈半道敵〉
**鷺坂伴内**

道化がかったこっけいな悪人

ここで登場

「仮名手本忠臣蔵」
〈三段目〉〈落人（おちうど）〉⇒P.163

色と金を好むヘナチョコ侍。腰元・お軽に横恋慕する

〈端敵〉
**安達元右衛門**

実悪のパシリのような安っぽい敵役。コミカルな一面も

ここで登場

「敵討天下茶屋聚（かたきうちてんがぢゃやむら）」

武家の家来だったが酒癖が悪く、元の主人を逆恨みして殺す

女形

# なぜ男が女を演じるの？

## 本物より女性らしいって本当!?

第一の理由は、「成り立ち」です。歌舞伎は、江戸時代初期に「出雲の阿国（おくに）」という女性が始めたとされています。初期は単純なショー形式でしたが、お色気サービスも伴っていたため、風紀上の理由で女性が出演禁止に。代わりに美少年が動員されましたが、同様の理由で禁止となり、成人男性のみになりました。しかしオジサンだけでは舞台が持たず、女性役を工夫して中身の濃い芝居を演じるようになりました。

第二はその虚構性です。女形は女性のエッセンスを抽出して表現した、いわば「幻の女性」。ゴッホの描くひまわりが、本物に似せているのではなく「ひまわりらしさの表現」であることと似ています。女形も「本物以上に本物らしく」見えるよう、緻密に計算され完成した「表現」です。歌舞伎は女性が演じると生々しくなりすぎる色っぽい場面も多いのですが、女形だとその虚構性ゆえ、いい色気の按配になるわけです。



**傾城**

傾城（けいせい）とは、教養と品格が求められる最高位の遊女のこと。「一国の城を傾けるほどの美女」という意味から、この名が付けられた

この衣裳は花魁の公式の衣裳で「花魁道中（おいらんどうちゅう）」と呼ばれる行列で着用するもの。劇中で揚巻は、四季をテーマに衣裳を変えるが、本図は最初に登場するもので「正月」がモチーフとなっている

**『助六由縁江戸桜（すけろくゆかりのえどざくら）』の揚巻（あげまき）** ⇒P.054、184

助六の恋人で吉原遊郭一番のファッショニスタ。江戸当時の吉原はトレンドの発信スポットで、気張ってお洒落していく場所だった

# 超モード系！総重量33キロ超えの花魁衣裳

## いい女は体力勝負

男性が女性を演じる現実的な理由のひとつに、「体力」がある。歌舞伎のかつらや衣裳は、その豪華さゆえに重いものが多い。特に揚巻の衣裳は女形としては横綱級で、これを着て優雅に歩くだけでも重労働だ

# 優雅に見えて肉体を酷使

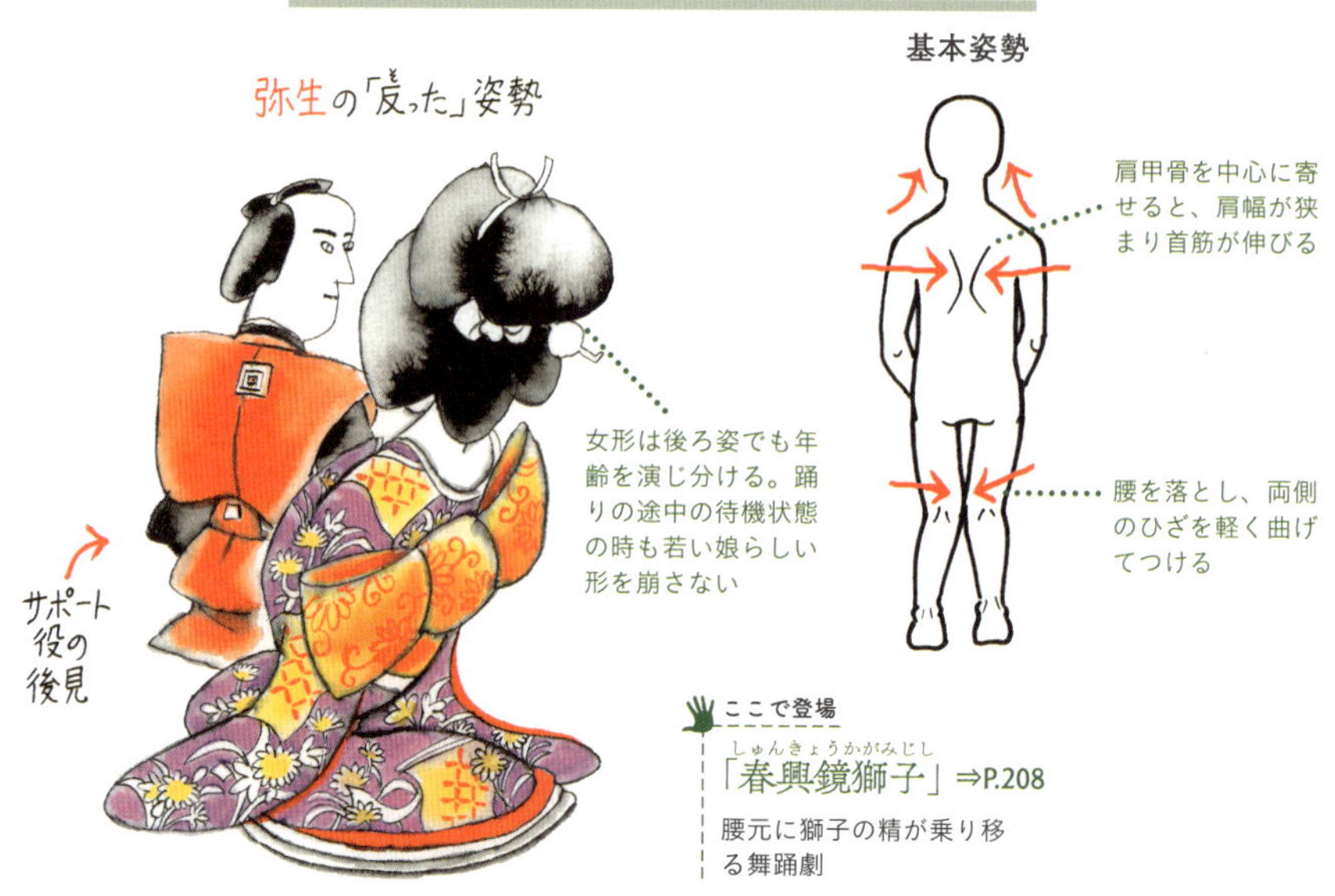

基本姿勢
弥生の「反った」姿勢
肩甲骨を中心に寄せると、肩幅が狭まり首筋が伸びる
女形は後ろ姿でも年齢を演じ分ける。踊りの途中の待機状態の時も若い娘らしい形を崩さない
サポート役の後見
腰を落とし、両側のひざを軽く曲げてつける

ここで登場

「春興鏡獅子（しゅんきょうかがみじし）」⇒P.208

腰元に獅子の精が乗り移る舞踊劇

## 美しい所作を支える強靭な肉体

**男**性が女性を演じるには、何段階もの構造改革が必要です。その基本となるのが立ち姿の「姿勢」。左右の肩甲骨をぐっと近づけると、すっと首が伸びて自然なで肩に。膝頭同士を付けることで内股をキープするなど、女性らしく見せるさまざまな工夫があります。

年齢や身分で、身体の使い方も細かく変わります。たとえば若い姫役などで重要なのが、「後ろ姿」。身体を後ろにぐっと反らすように座ると若さが出ますが、重い衣裳やかつらを着けて、長時間反り返った姿勢をキープするのは重労働。年齢の表現は役者の技術によるところが大きく、大役ほど経験と表現力が必要です。

その上で、女形に限らず、歌舞伎役者は音曲や踊りの修行が必須。特に踊りは全ての演技のベースとなるもので、美しい動作の基本です。歌舞伎という文字は、「歌」「舞」「技」から成り立ちますが、まさに読んで字のごとしです。

## 音曲や踊りの修行も必須

### 最高難度の立女形の役・阿古屋

トップクラスの女形が演じる難役中の難役。ここ五十年間では、六代目中村歌右衛門と現・坂東玉三郎が中心的に演じている。舞台上で実際に演奏する琴・三味線・胡弓の三種の楽器の素養（特に胡弓が難しい）はもちろん、少ない動きで傾城の風格と心意気、景清への想いも表現しなければならない

ここで登場

**「壇浦兜軍記」（阿古屋）**

傾城・阿古屋が恋人の武将・悪七兵衛景清の行方を問われる裁判劇。景清の居場所を知らぬと述べる阿古屋に、「心に偽りがあれば音色が乱れる」はずと代官・畠山重忠が、琴・三味線・胡弓の三曲を演奏させるが、見事弾き切り身の潔白を証明するという、「楽器によるウソ発見器」の趣向が見どころ

## 指先ひとつで年齢も表現

### 「わたし」と指さす時の違い

年増
指の横でさす

娘
指の背でさす

### 少しの違いで印象も激変

女形の美しさを作る重要な要素のひとつが「手」。美しく見せる基本条件は「よくしなる」「小さく可憐」なこと。女形は若いうちから指先をしならせる訓練をします。また、自分を指さす時の所作などを通じて、指先一本で年齢を演じ分け、若い娘は指先にキューッと力を入れます。道行の場面で杖を持つ時は、若い女性は指をそろえて持ち、おばあさんは親指で杖の頭を押さえるようにして握るなどの工夫も。

# 身分によって泣き方も変わる

**手の出し方に注目！**
若いセレブほど手を露出せず、年をとるほど曲がる

**姫**
袖口を使う

**高貴な女性**
折りたたんだ懐紙を使う

**世話女房**
手ぬぐいを使う

**婆**
手を露出する

**遊女や芸者**
着物の袖口から
襦袢を出して使う

**娘**
たもとを使う

## 手を小づくりに見せる工夫とは…？

女形はもともとが男なので、手も「小さく見せる」ための工夫が必要です。身分の高いお姫様やお嬢様は、袖口からあまり手を出さないのがお約束。襦袢を着物よりも少し長めに仕立て、その端に親指をからませ、手が露出しないようにして小さく見せます。泣くときは袖口に指先を入れたまま指をピンとそらせると可愛く見えますが、普通に内側に指を折ってしまうと色気がありません。身分によって泣き方も違います。

# 躍動する「三姫」

### 自由な行動派

敵方の若侍・三浦之助の許嫁で、父の制止を振り切って押しかけ女房に。姉さんかぶりで姑の看病もするかいがいしさだが三浦之助と父親の板挟みで苦悩したあげく、父を殺す事を決意。自らの意思で行動する姿が現代的

『鎌倉三代記（かまくらさんだいき）』の時姫（ときひめ）

### スーパー直情型

絵姿のみで会った事もない許嫁の武田勝頼に恋いこがれ、初対面で「今ここで自分をかわいがってくれ」と積極的にアプローチ。若さゆえの情熱で、自ら神仏（狐の精）を取り憑かせてしまう「元祖もののけ姫」

『本朝廿四孝（ほんちょうにじゅうしこう）』の八重垣姫（やえがき）

### 人妻エロス系

三姫唯一の人妻。絵師の娘で、他二人に較べ身分は高くなく、銭湯で働いていた職歴が。天下を狙う松永大膳に横恋慕され、セクハラまじりの脅迫を受ける。桜の木に縛られて、つもった花びらに素足で鼠を描く姿がエロティック

『金閣寺』の雪姫

### 思い立ったら「もうどうにも止まらない～！」

歌舞伎の姫たちは、お上品な見かけと裏腹に超アグレッシブ！　赤い着物を着た典型的な時代物の姫役を「赤姫」といいます。姫役の中でも特に至難とされる三役を「三姫」と呼び『本朝廿四孝』の八重垣姫、『鎌倉三代記』の時姫、『金閣寺』の雪姫がそれ。いずれも恋しい男のためなら、親をも捨てるような激情の持ち主。一般の娘役よりも控えめな動きで内面を表現しつつ、気品がにじみ出なければなりません。

**と、いうわけで…**

**女形は女性以上に優美でぶっとんだ存在なのです**

ゴージャスセレブからコワモテあねごまで

# 女形の役柄図鑑

女性の役を総じて「おんながた」と呼びます。一座のトップを指す立女形（たておやま）、若手ナンバーワンの若女形（わかおやま）は、変則的な使われ方

## 娘

庶民の娘も姫同様に恋の情熱が燃え盛る。都会の裕福な商家の町娘は美しい振り袖姿だが、田舎娘は萌黄色（緑）の石持（無名を表す白紋）姿が定番

田舎娘に較べると髪飾りも豪華な「姫の」ミニチュア版

両端に黒繻袢をあしらった帯は「お染帯」とよばれる庶民の娘のアイコン

**お染**

丁稚・久松と相愛になり心中を思い詰める。恋愛に自我を通すのはお染のような奔放な町娘で、田舎娘は身を引くのがお約束

ここで登場

「新版歌祭文（しんぱんうたざいもん）」（野崎村）⇒P.041

## 女武道

武芸に秀でたしっかり者の女性

**お園**

父と妹の敵を探す苦難の旅の途中で、まだ見ぬ許嫁・六助と巡り合い、押しかけ女房よろしくアプローチする。まっすぐな性根と女性の可愛げを併せ持つ

ここで登場

「彦山権現誓助剣（ひこさんごんげんちかいのすけだち）」（毛谷村（けやむら））

## 遊女

位の高い遊女・傾城（けいせい）を筆頭に遊女の位もさまざま。ある理由のため、心ならずも恋人や客に「縁切り」する羽目に追い込まれることもしばしば

あんこという遊女独特の帯の形は上方がルーツ

**梅川**　大坂・新町の遊女で、恋人・忠兵衛と別の客の身請け話の板挟みとなる。うなだれて話を聞くしかない姿が、下層の遊女の悲哀を表している

ここで登場

「恋飛脚大和往来（こいのたよりやまとおうらい）」

## 片はずし

武家の役付きの女性で、髪型の名称が役名になっている。男まさりの気丈さと強い使命感で困難に立ち向かう、女形最高峰の役のひとつ

こうがいを抜くと垂れ髪になる

**政岡**

お家乗っ取りを企む悪人から幼君を守ろうと奮闘する乳母。自分の子供が幼君の身替わりになるのを目の当たりにしながらも耐え抜き、心の奥深くに母性を秘める烈女

重厚な黒い打ち掛けの下の赤い着付けが情熱的な心を象徴

**ここで登場**

「伽羅先代萩(めいぼくせんだいはぎ)」

## 世話女房

かいがいしい庶民の女房

帯にはさんだ手ぬぐいは「かいがいしさ」の記号

白い丸紋の「石持」も庶民のお約束

**おとく**

吃音の絵師である夫・又平を、貧しさの中で懸命に支える。又平の代弁者としての「しゃべりの芸」も見どころ

**ここで登場**

「傾城反魂香(けいせいはんごんこう)」(吃又(どもまた))

## 悪婆

あねご肌の伝法な女性。惚れた男のためには盗みや殺しも厭わない行動力の持ち主

「馬のしっぽ」という、いなせな髪型

**お富**

恋人とのデートをパトロンに見つかり、切り刻まれて川に捨てられるが、後に恋人と再会。その窮地を救うため、かってのパトロンをゆする

**ここで登場**

「切られお富(とみ)」

『与話情浮名横櫛(よはなさけうきなのよこぐし)』(202頁)の与三郎のキャラを女性に置き換えたパロディ作品

## 婆

身内のために心を砕く情の深い老女で、賢さと愚かさを併せ持つ。時代物で特に難役とされる老女は「三婆」と呼ばれ、『盛綱陣屋』の微妙、『菅(すが)原伝授手習鑑(わらでんじゅてならいかがみ)』の覚寿、他一役は諸説がある。

**微妙**

戦乱のために孫を切腹させなければならない役目を担って苦悩する

**ここで登場**

近江源氏先陣館(おうみげんじせんじんやかた)
〈盛綱陣屋(もりつなじんや)〉⇒P.073

# そこがいいのよ 覚えておいて

ここで登場
「義経千本桜（よしつねせんぼんざくら）」
〈すし屋〉
⇒P.094、159

庶民の家のアイコン「わらびのし」ののれん

弥助

**すし屋の主・弥左衛門**
ひと気がないのを見計らって弥助を上段にいざない、居ずまいを正す

店員キャラ・弥助が段に上がったとたん、VIPキャラ・平維盛に変化。伴奏の義太夫の詞章も「たちまち変わる御よそおい」

## これがほんとの「上から目線」？

スポーツにルールがあるように、歌舞伎にもルールがあり、それがわかれば芝居の見方も変わります。

『義経千本桜』〈すし屋〉では、源氏方に追われる貴人・平維盛が、手代・弥助として奈良のすし屋にかくまわれています。色白でちょっと頼りない弥助ですが、店の主人が改まった態度で「まず、まず」と促すと、スッと座敷の上段に上がります。とたんに立ち振る舞いが変わり、それまでの店員キャラからＶＩＰに変身します。

歌舞伎では、「高い位置は〝役の上で身分が高い人〟の場所」というルールがあります。主人の声がけをきっかけに、弥助は庶民から本来の身分に立ち返ったため、上段に上がるのです。

歌舞伎ではそれぞれの役にふさわしい位置が決められています。それをふまえて観ることで、単なる場所の移動ではなく「キャラが変化する演技に注目しよう」という「歌舞伎見物の目線」になります。

# 居どころ

〈家来〉
狐忠信

狐の耳に似せてピンと立てた元結（まげを束ねる糸）

下手

上手

静の家来で狐の化身

ここで登場
「義経千本桜」
〈道行初音旅〉（吉野山）
⇒P.178

着物の紋は「源氏車」という紋様で源氏方のアイコン

忠信は家来なので、一歩下がるのが決まり事

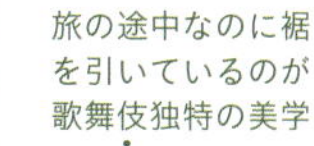


〈主人〉
静

ここで登場
「仮名手本忠臣蔵」
〈大序〉 ⇒P.161

### 石段で序列が決まる

役者の地位も示すのが『仮名手本忠臣蔵』の〈大序〉（冒頭シーン）。高い石段の真ん中に、若きVIP・足利直義。その上手に老権力者・高師直。師直は足利家の臣下だが、座頭級の役者がつとめる役なので、この位置になる

## 居どころは向かって右が偉い人

役の上で身分の高い方が上手側（観客から見て右）に立ち、下手にいくほど一般人に近づくのが歌舞伎のお約束。このような「役にふさわしい定位置」を、「居どころ」といいます。

カップルの場合は江戸時代の慣習で男性が上手になりますが、例外も。「吉野山」は、静とその家来・狐忠信の旅（道行）の情景を描いた舞踊。通常の道行のカップルと違い、女性の静が上手です。忠信は静の従者という立場だからです。

# 出と引っ込み

ここで登場

「勧進帳」⇒P.017、180〜181

弁慶の花道への引っ込みは「幕外の引っ込み」といい、幕を完全に引ききった状態で行われる。義経一行の通過を許した関所の番人・富樫へ向かい、深々と黙礼した後、飛ぶように一行を追いかけていく

**弁慶**

源頼朝に追われる主君・源義経を守り、山伏に偽装して決死の関所通過を試みる

ここで登場

「菅原伝授手習鑑」

〈寺子屋〉⇒P.172〜173

「源蔵戻り」と呼ばれる、花道の出。若君の首を差し出すようにと、庄屋に呼び出された帰り道という設定。揚幕も、そっと静かに開けられる。冒頭から沈痛なムードが漂う

**武部源蔵**

寺子屋の師匠で、かくまっている菅丞相の若君を、敵方から守るために苦悩する。上の空のような足取りが、若君の身替わりにする子どもを、あれかこれかと思い悩んでいる深刻な心の内を代弁している

## つかみとまとめは超重要

歌舞伎の演技は「いかにその人物らしく見えるか」が重要です。演じる役の成否は、最初に登場する「出」の瞬間の、いわば「つかみ」でわかるといわれています。花道の奥の役者の出入り口下がった「揚幕」が開くシャリン！という音が「出」の合図ですが、沈痛な場面の出では、静かに開けられます。一方退場する時の「引っ込み」は、キャラの総決算の「まとめ」。どちらもどれだけ鮮やかな印象を残せるかが勝負です。

## 「見得(みえ)」のパワー

### 引っ張りの見得

立場の違う二人の人物が、見えない糸で引っぱり合っているような形で、絵面の見得より心理的。〈盛綱陣屋(もりつなじんや)〉（73頁）では、二人の武将の緊張感漂う関係まで表現している

鎌倉権五郎(かまくらごんごろう)

### 元禄見得(げんろくみえ)

豪快な荒事の特徴が出た、典型的な見得。『暫(しばらく)』の鎌倉権五郎や『勧進帳』の弁慶、〈車引〉の梅王丸など、スーパーヒーローの象徴

### 石投げの見得

石を投げたような形からこの名がついた。『勧進帳』では、弁慶が転戦してきた旅を回想する「戦物語」の最後で登場

### 絵面(えめん)の見得

『菅原伝授手習鑑』の〈寺子屋〉など、時代物の幕切れや重要なポイントで使われ、複数の役者できまる。文字通り絵画的なバランスが決め手

## 目ヂカラも注目

「見得」とは感情が最高潮に盛り上がった時、静止して「きまる」絵画的なポーズです。正確には「見得をする」と言い、荒事ルーツの演出で、いうなれば芝居の中の感嘆符。ストップモーションとクローズアップを同時に行うようなもので、この瞬間に演者のパワーが凝縮します。「バタッ！」とツケの効果音が入ることも多く、片目だけグッと寄り目にして表情にも強さを出します。様式性の濃い時代物ほど強く、世話物では弱くきまります。

# 役者の個性「ニン」

**ニンを選ぶ役**

**『与話情浮名横櫛』（切られ与三）の与三郎**

落ちぶれた元・若旦那の与三郎が、元カノのお富に偶然再会する。この時の演技のキモは「元お坊ちゃまらしいソフトな風情」を、いかに出せるかで、やさぐれていても育ちの良いムードが必要になる

**本役ではない役＝加役**

**『伽羅先代萩』の八汐**

陰謀をめぐらす武家女性・八汐は、立役が女形として加役で演じるのが通例。そうすることで、強さや凄みが増す。片岡仁左衛門などがうまい

ここで登場
「伽羅先代萩」〈御殿〉

## ストライクのキャラに納得！

「あの人、最近キャラが変わったね」などと言う時の、「キャラ」に近い概念を「ニン」と呼び、「役者個人の持ち味」を指します。役の設定と役者本人の個性がピタリと重なった時、「ニンに合う」と言います。

「本役」は、その役者に向いた「ど真ん中ストライクの役」。江戸時代の役者は担当する役柄が決まっており、それを本役と呼びました。たとえば「大星由良之助は、だれそれの本役」という感じで使います。

# 「ハラ」と「性根」

## ハラ＝「心の中でつぶやく」ふきだし

歌舞伎では、ある理由のために本心を隠す場面がよくあります。微妙な表情だけで本心を表現する演技を「ハラ芸」と呼びます。「ハラ」とは「心の奥底の本心」のことを指します。〈盛綱陣屋〉の首実検では、首が偽首と気づいた武将・佐々木盛綱が、心の中で理由を推理し、結論を下すまでの過程を無言で演じます。また、「性根」とは、その役が抱えている基本的な心根を指します。性根をつかむことは演技の根幹です。

**佐々木盛綱**（ささきもりつな）
武士の道理をふまえながらも、身内の情にも厚い性根を持つ武将

ここで登場
「近江源氏先陣館」（おうみげんじせんじんやかた）〈盛綱陣屋〉（もりつなじんや）
兄弟でやむをえず敵味方に別れて戦う佐々木盛綱と高綱。盛綱は、討たれた弟・高綱の首実検（討たれた首が本人かどうか関係者が確かめること）を衆人環視の中で任される。一目で偽首と気づき不審に思う盛綱だが、高綱の一子・小四郎が首を見るなり「父上！」と叫んで切腹したことから、偽首が高綱親子の計略と悟る

**と、いうわけで…**

**ハラも割りすぎはNGです**

演目の種類

# 素材と調理法で味わいも変わります

## 2大ルーツで分ける

### 義太夫狂言

関西で発達した人形浄瑠璃（文楽）の演目を歌舞伎化したもの。丸本物、デンデン物とも呼ばれる。濃厚な雰囲気で文学性が高く、現在上演されている演目の三割を占める。人形浄瑠璃同様に、ナレーション役の太夫と伴奏の三味線がつくが、このセットを「竹本」(102頁）と呼ぶ。人形浄瑠璃では、登場人物の台詞も太夫が語るが、歌舞伎ではもちろん役者が台詞を言う

ここで登場

「奥州安達原」

東北の豪族・安倍一族の反乱と鬼女の伝説に取材した物語

### 純歌舞伎狂言

歌舞伎のためだけに書き下ろされたオリジナル演目で、書かれた時代や作者によって雰囲気もさまざま。ちなみに、義太夫狂言、純歌舞伎狂言それぞれに、「時代物」と「世話物」がある

優美な青年僧
清心のキャラが
後半は小汚い
小悪党に
激変!

近年は美男美女の
カップルで前半のみ
上演される事も多い

ここで登場

「花街模様薊色縫」
（十六夜清心）

遊女・十六夜と馴染んだ罪で寺を追放になった若い僧の清心が心中に失敗した後、小悪党に転身する

# 素材で分ける

## 世話物

江戸時代の人にとっての現代劇で、素材は町民社会のドラマ。写実的で、台詞まわしは現代とほぼ同じ。江戸当時の風俗が良くわかるものが多い

ここで登場
「与話情浮名横櫛」（切られ与三）⇒P.072、202

木更津の親分の妾・お富が、密通して切り刻まれた若旦那の与三郎と三年後に江戸で再会する

## 時代物

江戸時代の人にとっての時代劇で、素材は「武家社会で起こる事件」。様式的で、台詞まわしはやや難しい。奈良時代や鎌倉時代の話でも、衣裳や風俗は江戸時代に置き変えられている

ここで登場
「鬼一法眼三略巻」〈菊畑〉

平家全盛の世に、源氏再興をめざす人々と、敵味方に別れた三人の兄弟の生き方を描いた物語

## 舞踊

演技の要素も取り入れた物語性のあるもの。長唄を伴奏とする舞踊を所作事と呼ぶ

ここで登場
「春興鏡獅子」⇒P.208

通称『鏡獅子』。鏡開きの日の大奥を舞台に、踊りを披露する少女に獅子の精が乗り移る。傾城が踊る『枕獅子』という演目を、大奥の小姓に変えて上品に改訂した作品

## 素材を生かすのは料理と同じ

歌舞伎をカレーという料理にたとえて考えてみましょう。メインの素材によってチキンカレーやビーフカレーなど、色々な種類があります。たとえばチキンカレーにも、タイやインドがあるように、出身地（ルーツ）で味わいも変わります。また日本式のカレーライスや、北海道のスープカレーなど、時代や土地に合ったアレンジもあります。

四百年の歴史と演目を持つ歌舞伎も同様に、素材や調理法で味が異なります。

# 演出やアレンジで分ける

## 歌舞伎十八番

江戸時代に、七代目市川團十郎がお家芸として定めた18個の演目で、荒々しく勇壮な荒事の演出が特徴。『暫』(182頁)、『鳴神』、『助六』(184頁)、『勧進帳』(180頁)など

七代目團十郎演じる『毛抜』(183頁)の粂寺弾正(浮世絵より)。持ち前の推理力と行動力でお家騒動を解決する

## 松羽目物

能や狂言から取材した演目。シンプルな内容と舞台装置が特色で舞踊劇の要素も強い。能系(213頁の『土蜘』など)は格調高く狂言系(『身替座禅』など)はユーモラス

『身替座禅』で、浮気のばれた夫が妻にとっちめられる場面

山蔭右京

## 新歌舞伎

明治後期～昭和初期に作られた新作歌舞伎。テレビの時代劇のような、わかりやすさが特徴。史実を基にしたドキュメンタリータッチの『元禄忠臣蔵』など

『御浜御殿綱豊卿』の対話場面

徳川綱豊

富森助右衛門

## スーパー歌舞伎

二代目市川猿翁が1980年代に始めた現代的な歌舞伎のこと。『ヤマトタケル』、『八犬伝』など

『ヤマトタケル』の宙乗り

## 新作歌舞伎

戦後～現代に書かれた、古典とは異なる新作歌舞伎。曲亭馬琴の原作を三島由紀夫が翻案した『椿説弓張月』など

『椿説弓張月』の責め場

# 東西で分ける

## 西

おぼっちゃまは恋の最終兵器！

「双蝶々曲輪日記」
角力場
与五郎
ノホホン
裕福で
軟弱な
お坊ちゃま
つっころばし
の典型で
水色の羽織
がトレードマーク

衣紋も
抜き気味

のりこぼし
という
白抜きの
柄が
お約束

ここで登場

「双蝶々曲輪日記（ふたつちょうちょうくるわにっき）」
⇒P.199〈角力場（すもうば）〉

二組の庶民のカップルに、相撲取り・濡髪長五郎（ぬれがみちょうごろう）らがからむ人情ドラマ。軟弱な若旦那・与五郎は勇壮な長五郎に肩入れしている

## 東

無邪気な心を持つスーパーヒーロー！

弁慶

大好評だった
本作に比べ
後世に作られた
「勧進帳」は
初演時には
「高尚すぎる」
と不評
だった

ここで登場

「御摂勧進帳（ごひいきかんじんちょう）」

歌舞伎十八番『勧進帳』の先行作品。源義経を警護して関所を突破する弁慶が、関所の番卒の首を大きな桶の中で、芋の子のように洗うシーンが有名

## 東西で好みのタイプも変わる

江戸時代、武士の町である江戸（関東）では勇壮な「荒事（あらごと）」が好まれ、商人文化が栄えていた上方（関西）では、世間のしがらみに悩む町人を素材にした「和事（わごと）」が流行しました。

「荒事」には「子供の心で演ずべし」という口伝があり、荒唐無稽な様式美キャラが魅力。また、「和事」の中でも「つっころばし」と呼ばれる軟弱なおぼっちゃまキャラは、上方独特の役柄。笑いをとれることも重要なモテ要素なのです。

と、いうわけで…

**素材やアレンジの組み合わせで、味わいもさまざまです**

物語と設定

# どこからワープしてきたの？

架空のカップル
あなたたちは一体誰？
「お軽と勘平」の呼び名で知られる有名カップル。勘平のモデルは萱野三平重実という人物だが、討ち入り叶わず自死するという設定だけが活かされている

〈浪士〉早野勘平（はやのかんぺい）
大事件のまっ最中に、お軽といちゃついていたため、主君の一大事に間に合わず。お軽の実家に駆け落ちするが気分はブルー

〈腰元〉お軽
大事件のキーパーソンとなった女性。駆け落ち中にもかかわらず、新婚旅行気分でウキウキ

ここで登場
「仮名手本忠臣蔵（かなでほんちゅうしんぐら）」
〈道行旅路の花婿（みちゆきたびじのはなむこ）〉
（落人（おちうど））⇒P.163

## 歌舞伎で歴史を学ぶと0点確実！

たとえば赤穂浪士の仇討ち事件で有名な『忠臣蔵』。大河ドラマなどでおなじみですが、歌舞伎で観ると面食らうこと必須です。

江戸時代の事件なのに、時代は足利時代になってい て、でも衣裳や風俗は江戸時代のものだし、史実に存在しないような人物も大勢出てきて、聞いたこともないエピソードがてんこ盛り。たとえば浪士の早野勘平と元腰元のお軽。物語の鍵をにぎるカップルですが、勘平のモデルは存在するものの、申し訳程度に名前を変えて、大事件を尻目に駆け落ちするエピソードはまるっきりの創作です。

実は歌舞伎のストーリーは「ほぼ創作」で、著名な物語や事件の骨格だけを借りています。無茶丸出しの設定は、幕府に睨まれるのを避けるための「これは昔話です。現政権を茶化したり批判してるわけじゃないですから」という表向きのポーズ。そうすることで、物語を自由自在にアレンジできたのです。

# デタラメな時代設定

源平時代の話なのに、黒のかけ襟に振り袖という、典型的な江戸庶民のスタイル

**お里**

奈良・吉野のすし屋の娘。手代としてかくまわれている平家の貴公子・平維盛に恋している

ここで登場

「義経千本桜」
〈すし屋〉

⇒P.094〜097、177

船宿にかくまわれている娘・お安。実ハ壇ノ浦で入水したはずの安徳天皇。しかも女の子だったという怒濤の歴史改ざん！“安”の字で本来の身分を暗示している

**お柳**

船宿女房。実は典侍局という平家方の女性で、安徳天皇の乳母

ここで登場

「義経千本桜」
〈渡海屋〉 ⇒P.174

いかに八大竜王〜

後半でキャラが激変！庶民の女房姿から本来の身分に立ち返り、十二単姿に。抱いているのは安徳天皇

ここで登場

「義経千本桜」
〈大物浦〉 ⇒P.175

## 安徳天皇は女の子だった!?

歌舞伎の作劇法は、「広く知られた伝説や物語をベースに自由にアレンジする」というものです。すし屋の店員が実は平家の貴公子だったり、船宿の娘が実は天皇だったりと、歌舞伎は実ハが大好きです。いわばキャラの二重設定ですが、江戸庶民はそんな無茶苦茶な物語を、役者の演じ分けも含めて楽しんでいました。恋人同士が実ハ生き別れた兄妹だったり、他人が実ハ親子と判明したり、怒濤の「実ハ」攻撃です。

## こんな実ハもあります

### 庶民が実ハ偉い武将!?

白づくめの衣裳は亡霊に化けていることを示す

**実ハ平家の武将・平知盛**

能『船弁慶』の謡の伴奏で登場する。衣裳も能装束姿

蝶の文様は平家の人々が愛した「復活のシンボル」

大将クラスしかはけない毛皮製の「毛ぐつ」

**相模五郎**

滑稽な田舎侍が「魚尽くし」の台詞で笑わせるが後半〈大物浦〉では本来のりりしい武将姿に

**銀平**

船宿の主人で、豪放磊落な庶民キャラ

取り押さえられている二人の武士も、実ハ銀平（＝平知盛）の家来で、周囲を油断させるための計略

ここで登場

「義経千本桜」〈渡海屋〉⇒P.174

親分肌の船宿の主人は、実は死んだと思われていた平家の武将だった。船宿に泊まった敵・源義経を追う時に正体を明らかにする

### 遊女が実ハお姫様!?

京都の遊廓で見かけた大宅光圀に一目惚れして追って来たと語り、身に覚えのない光圀に怪しまれる

**傾城・如月**

普通の人間ではなく、妖術を使う超人という設定のため、花道のスッポンからせり上がって登場する

衣装がぶっ返り本性を現す

**滝夜叉姫**

実ハ平将門の娘

ここで登場

「忍夜恋曲者」（将門）⇒P.035

反乱をおこして破れた平将門の残党狩りをする大宅光圀と、荒廃した館に遊女に化けて現れた将門の娘が戦う舞踊劇

## 船頭が実ハ勇猛な武将!?

**松右衛門**
秘伝の櫓のこぎ方を会得する船頭

ここで登場
「ひらかな盛衰記」〈逆櫓〉
亡き主君・木曽義仲の仇をとるため、船頭の家に正体を隠して婿入りし、機会をうかがう武将の物語

着物の柄は海に関わる人が着る「蛸絞り」の文様

**実ハ木曽義仲の家臣・樋口次郎**

## 怪しくも美しいダブルの実ハ！ 無骨な関守が実ハ怪人!?

ここで登場
「積恋雪関扉」⇒P.039
関守に偽装して天下を狙う怪人・大伴黒主と、黒主に恋人を殺され、傾城に化けた桜の精がバトルを繰り広げる幻想的な舞踊劇

酒好きの無骨なオジサンで、後半とのギャップが見もの

**関兵衛**
雪の降り積もる逢坂の関所を守る番人

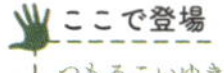

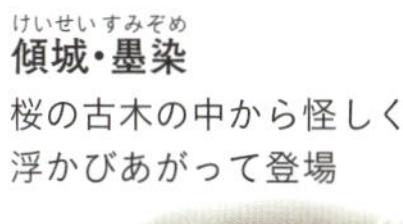

**傾城・墨染**
桜の古木の中から怪しく浮かびあがって登場

中村仲蔵という舞踊の名人が考えた振り付け。あか抜けない者を指す「生野暮薄鈍」という詞章では、「生」はこの図のような立ち木、「野」は矢を引く姿と、音に当てはめたのが面白い

**大伴黒主**

傾城が実ハ桜の精!?

と、いうわけで…

**もはや「実ハ」も「あるある状態」です**

世界と趣向

# 基本の「世界」をどう料理する？

## まるでコミックマーケット状態!?

**「趣向」を生かしきった二人の狂言作者**

歌舞伎を代表する狂言作家といえばこの二人。今なお数々の作品が上演されている

**河竹黙阿弥**

幕末〜明治にかけて活躍。『弁天小僧』（192頁）、『天衣紛上野初花』（198頁）など、非常に多くの作品を世に送り出し、特に『三人吉三』（194頁）は快心の名作

生前に自分の葬式用の台本と演出まで作ったぞ。ギャグと風刺が大好きだよ

**鶴屋南北**

江戸後期に活躍。「大南北」と称される。奇想天外な着想と趣向、「ない交ぜ」の達人。怪奇趣味と人を驚かせる演出に長け、『東海道四谷怪談』（196頁）では、今に至る幽霊出現の数々の舞台装置もプロデュース

歌舞伎の作劇法は「世界」と「趣向」で成り立っています。世界とは、江戸時代に良く知られた物語や伝説のことで、物語の骨格となる題材です。いくつかの基本の世界からひとつを選び、いかにアレンジするかが「趣向」。脚本の良し悪しは趣向で決まります。

その趣向にもルールがあります。たとえば曽我兄弟の仇討ちを扱った「曽我物」の世界では、必ず兄・十郎は優男、弟・五郎は血気盛んな若武者で、兄弟で敵をつけ狙うことになっており、キーアイテムの友切丸という刀が絡むのもお約束ですが、兄弟のキャラを逆にしたり、刀を別のものに変えたりするような、基本設定の変更はできません。

また「ない交ぜ」は、いくつかの異なる世界を組み合わせる方法で、「書き換え」は先行作品をアレンジしたりパロディー化したもの。クリエイティブな創作活動を前提とした状態は、「コミックマーケット」のルーツと言えます。

# 「世界」と「趣向」を現代風に考えてみる

**「世界」＝シンデレラ**

「世界＝物語の縦軸となる基本の物語」を、皆さんがよくご存じの「シンデレラ」として、「趣向＝物語の横軸となるアレンジの部分」のパターンを考えてみると……？

**「趣向」①**

ファストフードのバイト店員が書いた小説が大ブレイク？（わりとありきたりかも…）

**「趣向」②**

突然の遺産相続で、つかの間のセレブ生活を送る主婦？キャラが激変するというアレンジを効かせやすそう

**「趣向」③**

ネット動画の投稿が大人気となり紅白に出場する素人歌手？（でもその人気も期限つきということで）

**「趣向」④**

いっそ最近おきた結婚詐欺事件を組みこんじゃうとか？（なかなか面白くなりそう）

**……もはや元の話がわからなくなっても、それはそれでオーケーです**

# 歌舞伎の「世界」のバリエーション

「世界」①
## 「曽我物」

どちらも「曽我五郎」ですが…

超人的アレンジ

よろいを着こんだ勇ましいミリタリーファッション

蝶の模様は五郎のアイコン

**「矢の根」の曽我五郎**
⇒P.187
敵討ちにそなえて矢を研ぐ、様式的で豪快な曽我五郎

ダンディーなイケメンアレンジ

額の右に結び目のある紫の鉢巻きは「パワーと色気」を表す（左の結び目は病の証）

武士の正装「黒紋つき」をカジュアルに着こなす

**『助六由縁江戸桜』の助六**
⇒P.184
実八、曽我五郎という設定。曽我五郎はたいてい恋人がいるのがお約束だが、助六にも吉原の傾城・揚巻という恋人がいる

### 伝説となった若き兄弟の物語

源頼朝が行った富士の狩猟大会で、曽我十郎・五郎の兄弟が父の敵・工藤祐経を討った事件がルーツ。若くして散った兄弟の物語は伝説化され、市川團十郎の演じる荒事に欠かせないものとなりました。その仇討ちは、大願成就の「お目出たい」意味を持ち、江戸の初春興行では曽我物をかけるのが恒例に。お芝居的には、十郎の柔らかさと五郎の勇壮さの対比がキモ。関連演目は『寿曽我対面』、歌舞伎十八番『助六』、など。

「世界」②

## 「太平記」

### 置き換えの妙で傑作誕生

南北朝時代を中心とした軍記物『太平記』を「世界」と定めた傑作が『仮名手本忠臣蔵』。江戸時代の赤穂浪士討ち入り事件を太平記の世界に置き換えたもので、主要人物名も似ており、これに目をつけた作家は偉い。たとえば太平記から名を借りた塩冶判官は、史実の赤穂藩主・浅野内匠頭。塩の字が赤穂（塩の名産地）を想像させ、高師直（吉良上野介）によって滅ぼされるところもそっくり。

「世界」③

## 「忠臣蔵」

### 有名事件をビックリ超展開

そんな忠臣蔵も、江戸後期には「世界」の仲間入り。大劇作家・鶴屋南北は、忠臣蔵の外伝として、『東海道四谷怪談』『盟三五大切』などの作品で本音むき出しの庶民の世界を書き残しました。殺人鬼が実は赤穂浪士だったりする、皮肉な「裏忠臣蔵」です。

手にかけた女の首と
差し向かいで食事する
源五兵衛！

**『盟三五大切』の薩摩源五兵衛**

痴情のもつれで殺人鬼と化した薩摩源五兵衛は、実は「忠臣蔵」の塩冶浪人・不破数右衛門。最後はちゃっかり討ち入りに加わり、その名を挙げる。『五大力恋緘』という先行作品とのない交ぜである

## 「世界」④
# 「義経記」

### 家来のほうが主役になる？

「義経記（ぎけいき）」とは源義経とその家来たちを中心とした軍記物語で、能や歌舞伎などの古典作品の大量供給源。歌舞伎では『義経千本桜（よしつねせんぼんざくら）』が代表的ですが、作中に狐の伝説を取り入れるなど、大胆にアレンジされまくった結果、義経は完全に脇役と化しています。関連演目は『鬼一法眼三略巻（きいちほうげんさんりゃくのまき）』〈菊畑〉歌舞伎十八番『勧進帳（かんじんちょう）』など。



## 「世界」⑤
# 「八百屋お七」

### 燃える娘心が作家魂を刺激

江戸時代に八百屋の娘・お七が、恋する寺小姓に会いたいばかりに放火した事件が元ネタ。その衝撃性と、一途な娘心は作家魂をくすぐり、多種多様なアレンジが生まれました。江戸後期の大作家・河竹黙阿弥（かわたけもくあみ）は、八百屋お七の「世界」を借りながらも、そこから離れて下層階級の盗賊三人組の話『三人吉三廓初買（さんにんきちさくるわのはつがい）』（通称『三人吉三』）を書き上げ、幕末の退廃的な世相まで表現しました。関連演目は『三人吉三巴白浪』、『櫓（やぐら）のお七』など。

**『三人吉三巴白浪（さんにんきちさともえのしらなみ）』の女装盗賊・お嬢吉三**
⇒P.194～195
「八百屋お七は実はお嬢吉三」という、普通の実はと逆の設定

「世界」⑥

## 「隅田川物」

### 誘拐悲話もいじり放題

元ネタは、さらわれたわが子を京都から江戸へはるばる探しに来る吉田家の母親の悲劇を描いた伝説。子供の名前を取って「梅若伝説」として知られていますが、なぜか歌舞伎では、女装盗賊や女好きのやさぐれ坊主が主人公になったりと、元ネタとの関連はかなり希薄になっています。

唯一忠実なのは、その名もズバリ『隅田川』という舞踊。関連演目は『都鳥廓白浪』、『隅田川続俤』（通称『法界坊』）『雙生隅田川』などがあります。

「世界」⑦

## 「清玄桜姫物」

『桜姫東文章』の桜姫と清玄

落ちぶれた清玄が桜姫にとりすがっている様子

### 色香に墜落！これがホントの「迷僧」

高僧・清玄が、桜姫の色香に迷って破戒した末に、殺されて亡霊となり、つきまとうという筋立てで他の「世界」とない交ぜにされることが多い世界です。『桜姫東文章』は、隅田川物とのない交ぜですが、その筋立ては悲しい伝説とは裏腹に荒唐無稽で、深窓の姫が風俗嬢になった上、ヒモを殺して元の身分にあっさり戻ります。

# 覚えておくと便利な「呼び名」

実際には劇中に登場しない人物でも、この「呼び名」を覚えておけば物語の理解度がアップすること間違いなし！

## 判官

判官とは昔の役職名で、歌舞伎には、二人の有名な判官が登場する。一人は「九郎判官」と呼ばれた『勧進帳』の源義経。もう一人は『仮名手本忠臣蔵』で刃傷事件をおこす塩冶判官

ここで登場
「勧進帳」⇒P.180


### 『勧進帳』の判官

兄・源頼朝に追放され、後に自害する悲劇の貴公子・源義経のこと。劇中では「ほうがん」と発声する。弱者に肩入れする「判官びいき」の語源でもある。対して、鎌倉幕府を開いた征夷大将軍であることにちなみ、源頼朝は「鎌倉殿」と呼ばれている

### 『仮名手本忠臣蔵』の判官

刃傷事件をおこして切腹する悲劇の大名・浅野長矩がモデル。劇中では「はんがん」と発声する


ここで登場
「仮名手本忠臣蔵」〈三段目〉⇒P.162


## 武智光秀

左右ともに史実の明智光秀だが、作品によって人物像も変化。『絵本太功記』では信念を秘めた大時代なタッチで描かれる

ここで登場
「時今也桔梗旗揚」


主君・小田春永の横暴にひたすら耐えていた冷静沈着な武智光秀が、ついに謀反を決心するキャラ激変の様子を描く

ここで登場
「絵本太功記」


尾田春長（史実の織田信長）に謀反をおこした武智光秀が、最期をとげるまでの十三日間の出来事を描いた作品

## 小田春永

史実の織田信長。「本能寺の変」で武智光秀（明智光秀）に討たれる。歌舞伎でも横暴な暴君として描かれる

ここで登場

「時今也桔梗旗揚」

## 梶原平三景時

鎌倉方の武将で、義経のことを頼朝にチクって死に追いやった張本人とされることが多い。歌舞伎でも『義経千本桜』〈すし屋〉などで、基本的に敵役で登場する。唯一の例外と言える演目が『梶原平三誉石切』。さわやかで好ましい、真逆のキャラに描かれている

ここで登場

「梶原平三誉石切」

通称「石切梶原」。平家方につきながらも実は源氏に心を寄せる梶原平三のさっそうとした姿を描く。敵役では『義経千本桜』〈すし屋〉『寿曽我対面』など

私の父親です

「すし屋」
手代弥助
実は
平維盛

ここで登場

「義経千本桜」
〈すし屋〉

⇒P.094～097、177

弥左衛門と弥助の会話の中で登場する

伊予染
という
流水柄
が特徴

## 真柴久吉

史実の羽柴秀吉。時代物では賢く爽やかなキャラで登場することが多い。『絵本太功記』では、旅僧にやつして光秀の様子をさぐるために登場する

ここで登場

「絵本太功記」
「楼門五三桐」
「金閣寺」など

## 小松殿

『義経千本桜』で登場するすし屋の弥助の父親で、平清盛の長男・重盛のこと。横暴に描かれることが多い清盛とは逆に人徳のある人物として描かれるが、実際には登場しない

## 定型のストーリーを知っておく

「お家もの」と呼ばれるジャンルでは、主人公が恩義を受けた主家（武家や公家などの雇い主）のトラブルを解決するために奔走する。キーアイテムは、由緒ある一軸（掛け軸）や香炉、刀などのお宝だが、これらはあくまでも話の骨格に過ぎず、アレンジセンスが勝負

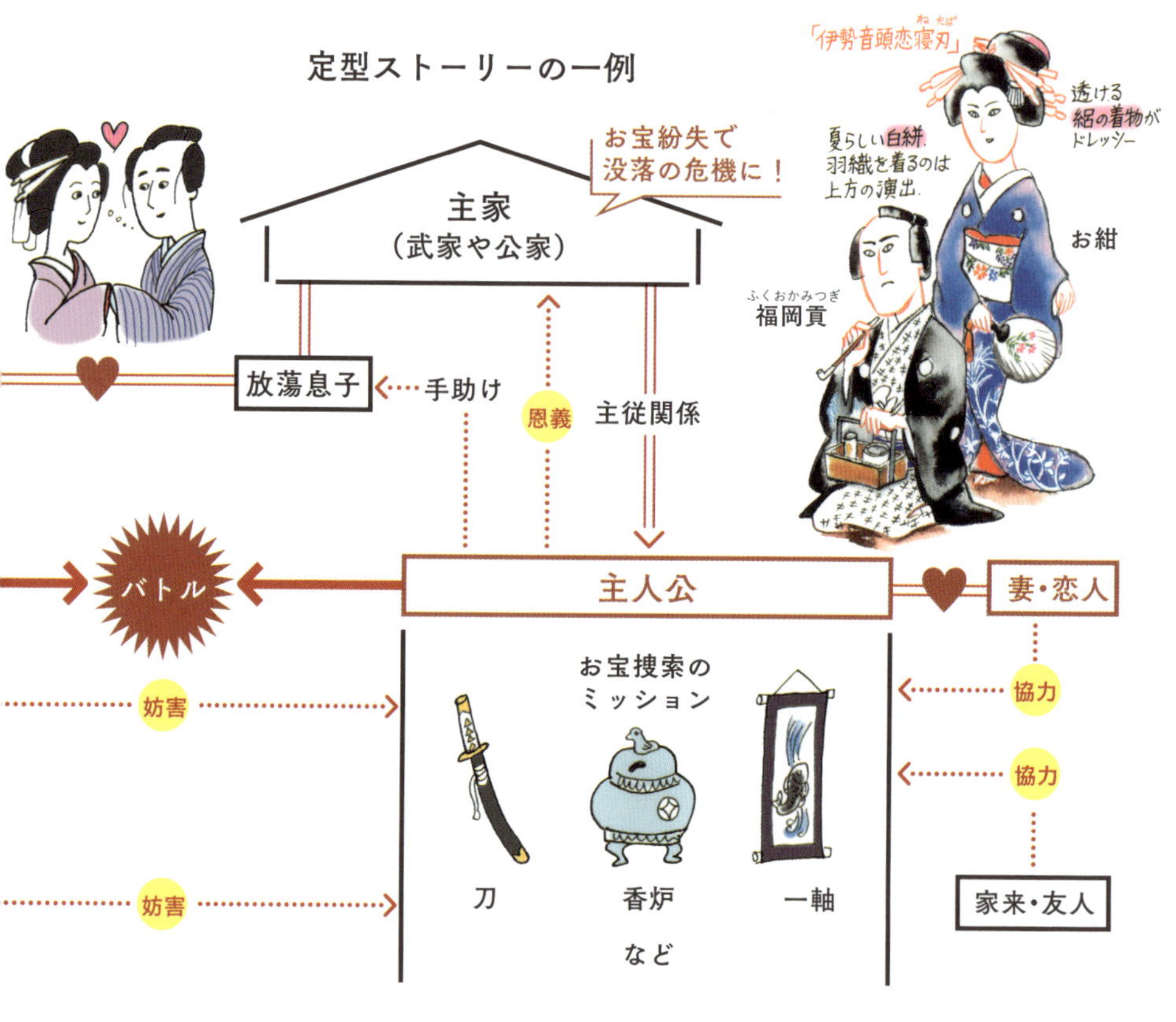


### たとえば『伊勢音頭』に見る定型ストーリー

伊勢神宮の下級神官・福岡貢は主家の若君を助けて、悪人方に盗まれたお宝の刀を探しています。若君は恋人の遊女と遊ぶため、一度手にいれた刀を質入れしていました。悪人方に味方する遊廓の仲居は貢を陥れようとしますが、貢の恋人の遊女・お紺は、遊女屋に居合わせた悪人らを油断させるために貢にウソの愛想尽かしをします。家来の協力で刀を取り戻した貢は、悪人たちを斬り殺し、刀は無事若君の元に戻ります。

## けれどストーリーは重要ではありません

「伊勢音頭恋寝刃（いせおんどこいのねたば）」は、右のストーリー構造を利用した作品の一例。遊郭の大量殺人事件が元ネタですが、夏の季節感や、ゆったりした祭ばやしの最中で起こる殺人場面、遊郭での緊迫したやりとりなどが見どころ。ストーリーそのものがキモではないことがわかります。

### 「伊勢音頭恋寝刃」の福岡貢と万野（まんの）

主家のため、名刀探しに奔走する福岡貢は、敵方に協力する遊郭の仲居・万野に、満座の中でさんざんにいびられる。憎々しくも貫禄のある万野と、怒りに震えながら耐える貢。二人の役者が上手いと最高に盛り上がる見せ場

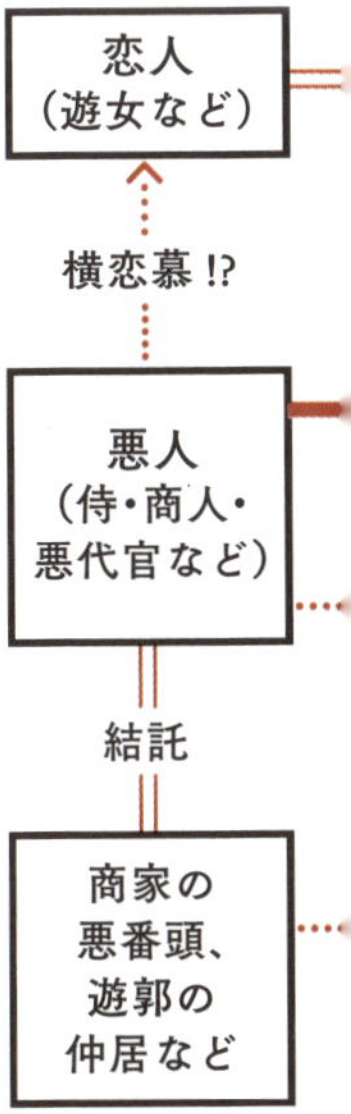

**と、いうわけで…**

**話の骨格を知れば安心して見どころに集中できます**

見どころ

# 脳内クローズアップのススメ

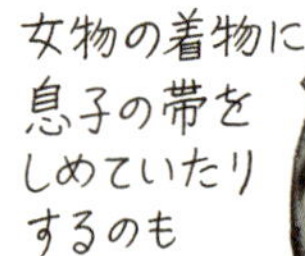


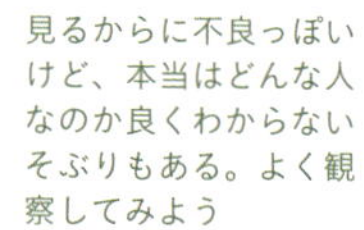


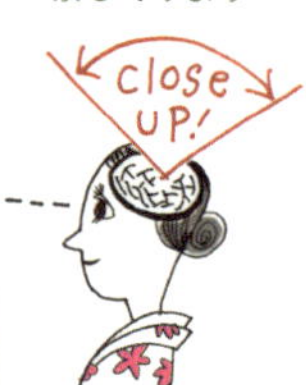


肩の紫色の部分は着物の補修のためで「裕福ではない」証

原作の文楽よりも粋な人物像

ここで登場

「義経千本桜」〈木の実〉

⇒P.176

## 伏線とどんでん返しに注目の「田舎のヤンキー物語」

テレビドラマでは重要な場面を、カメラがクローズアップして「ここに注目!」と教えてくれます。しかし歌舞伎は、見どころを自分で見つけなくてはなりません。時には見過ごしてしまいそうなほどさりげない演技が意味を持つ場合もありますが、あらかじめ状況設定がわかっていれば、難しくありません。コツは「今、この人物はどんな気持ちなんだろう?」という「心の目線」で舞台を見て、脳内で見どころをクローズアップすることです。

たとえば『義経千本桜』〈木の実〉と〈すし屋〉の場は、田舎のゴロツキ・いがみの権太が主人公。実家のすし屋では父親が、源氏に追われる平維盛をかくまっており、悪人と見えた権太は、人知れず維盛を助けようと知恵を絞りますが、結局無駄死にします。権太と父親、源氏方の武将・梶原景時が隠し持つ二重三重の思惑がからみ、伏線とどんでん返しが連なる作品のポイントを見てみましょう。

〈木の実〉のクローズアップポイント

# 権太の隠れた顔が大きな伏線に

## 嵐の前の平和な光景

奈良・吉野の茶屋で、維盛の奥方・若葉の内侍と子の六代君、お供の小金吾（こきんご）が休んでいると、権太がやってきて、小金吾の荷物をだまし取ります。様子を見ていた権太の女房・小せんは権太に意見し、息子・善太と親子三人で仲良く帰って行きます。権太のキャラは「子煩悩な田舎のヤンキー」。土地の名士の息子の権太は、大人になってもケチなゆすりたかりしか生活の糧を知らない自分を後ろめたく思っています。

〈すし屋〉のクローズアップポイント①

# トリッキーな展開で、権太の性格も大転換！

ここで登場
「義経千本桜（よしつねせんぼんざくら）」
〈すし屋〉⇒P.177

ウソ泣きする権太。関東式では茶を目につける「見た目本位」の演出だが、関西式では商売道具のバレンの水を使うなど合理的

泥棒に年貢米のお金をとられたと母親に訴え金をたかる権太

この場面の権太の着物は、関西式では女房のお古で、無頼な生活感を出す。写実的な感覚が関西の特徴で、関東式ではスッキリした着物姿

## 相手のほうが一枚上手

実家のすし屋に戻った権太は母から金をだまし取ってすし桶に隠します。父・弥左衛門も、討ち死にした小金吾の首を持ち帰ってすし桶に隠します。かくまっている平維盛の身替わり首にと考えたのです。その夜、若葉の内侍と六代君が、宿を乞いにすし屋をたずねて来ます。下男の弥助が実は維盛と知った一家は、すし屋の娘の勧めで逃亡しますが、権太は、一家をつかまえて報奨金をもらうと言い、首の入ったすし桶を（金を入れた桶と）とり違えて持ち去ります。

内侍と六代を縛って戻って来た権太は、維盛探索に来た梶原景時に、首桶と共に差し出します。維盛の首と断言した景時は六代らを引き立てて去り、弥左衛門は怒って権太を刺しますが、実は権太は自分の妻子を六代らの身替わりにしていました。維盛を救えという頼朝の命を受けた景時は、偽首と知りつつ偽証したのです。権太の名誉挽回の努力は全て無駄でした。

〈すし屋〉のクローズアップポイント②

# 大人になりそこねたヤンキーが・・・

店先のすし桶を持ち出す
権太
鉢巻
ピンと立てた豆絞りの鉢巻きは江戸前の粋な雰囲気
眉の上のホクロ
この役を得意とした江戸期の名優・五代目松本幸四郎へのリスペクト。『伽羅先代萩』の仁木弾正も同様
弁慶格子
太い格子柄でこれを着ているのは強い性格。権太のものはやや縦長で着姿をスッキリ見せる工夫がされている
すし桶
関東式では、すし桶をいくつか持ってみて、重いと思った桶を間違えて持ち出す。関西式は、端から何番目と覚えていたのを、父親が動かしたために間違える合理的な演出
すし
桶に魚とご飯を入れて発酵させた「なれずし」

## 効果的に使われるすし桶

権太がすし桶を持って維盛一家を捕らえに行きます。実はすでに権太は性根を入れ替える決心をしており、すし桶の中に入っているはずの金は維盛一家の逃走資金にするつもりでした。権太の父親は昔、維盛の父に命を救われた大恩があり、父の気持ちを知る権太はここ一番、名誉挽回しようとしたのですが、持桶の偽首（小金吾）を見て、父の覚悟の深さを思い知るのです。本作はいわば「ヤンキーの心の自立」の物語です。

〈すし屋〉のクローズアップポイント③

# 行動には伏線がある

いがみの権太
江戸式バージョン
自らの妻子をVIPの身がわりに差し出す場面、江戸系の演出の始祖 五代目松本幸四郎にちなみ左の眉尻にホクロをつけるのも特徴

格子柄もやや縦長でスラリと見える

座ってきまる
上方式

## 秘められた女房の想い

権太が妻子を差し出す理由には伏線があります。〈木の実〉の場面でわかるように、女房の小せんは、自分を遊郭から請け出した権太を愛しながらも、素行の悪さで村八分になっている権太の行状を嘆いていました。父・弥左衛門にも勘当されたため、孫の顔を見せる事もできません。何とか名誉挽回したい権太の望みを理解する小せんは、自分たちを身がわりにするよう、善太と二人して頼み、権太は心で泣きながら二人を差し出すのです。

関東と関西で演出にも違いが。本作は人形浄瑠璃が原作で、発祥の地である関西型は、より原作に忠実な演出です。たとえば権太が梶原に妻子を差し出す場面で思わず涙ぐむのは、梶原方の松明の煙が目に入ったという合理的な言い訳を権太に言わせます。関東型では、奈良の田舎のヤンキーを江戸前のいなせな男前に改造した尾上菊五郎系の演出が主流で、両方の折衷型もあります。

〈すし屋〉のクローズアップポイント④

# 悪から善の本性にたち返る「モドリ」が見どころ

## 芝居好きの見方って？

権太のように、悪人と見えた人物が実は善人だったと、最後に判明する演出を「モドリ」といいます。父親に刺された権太が、苦しい息の下、妻子を身がわりにしたことを告白するまでは、あくまで悪人として演じ通すのがセオリーです。「善人の本性」を、かすかにチラ見せする演じ方もありますが、やり過ぎは「ハラを割る」と言われ、慎むべきとされます。しかしそこは演者の腕次第、全体のさじ加減が重要です。

## 『髪結新三』の見どころを当ててみよう

**「突然ですがクイズです」**

芝居を見ながら脳内クローズアップすることを薦めてきたが、キモは「登場人物の気持ちになること」。こんな例もご紹介。これは『髪結新三』という演目で、誘拐犯の新三を中心に複数の人物が登場する場面。誘拐された娘を長屋の家主が新三と交渉して連れ帰る、一見何でもないシーンだが、新三の心情に注目すると見え方が変わってくる

ここで登場

「梅雨小袖昔八丈」（つゆこそでむかしはちじょう）
（髪結新三（かみゆいしんざ））⇒P.049

髪結い（美容師）の新三は、いなせな小悪党。身代金目当てに、商家の娘・お熊を誘拐して自分の長屋に監禁する。その夜、娘をわが者にした新三だが、翌日に長屋の家主がやって来てお熊を取り戻す

**Q** さて、このイラストは長屋の家主がお熊を連れ帰ろうとしている場面です。あなたはどこに注目しますか？

いえ もう…
さぞ母様がお案じなされてござんしょう
早く お帰りなさい

商家の人足　お熊　家主　新三

**A** つい、にぎやかに話す左側の家主や娘に目がいきますが、無言で柱にもたれて、ねっとりした目つきで娘をながめる新三に注目。「いい女なのに惜しいなあ」と、昨晩のことを思い出している感情が読み取れます

# 五感で感じる季節感と人物像

**粋な仕立ての浴衣**

浴衣は、江戸当時実在した「平清」など高級料亭の配り物の手ぬぐいをつないで作ったもの。新三はフリーの髪結いなので、お得意様なのかもしれない

**万年青（おもと）の鉢**

「目に青葉〜」は五月の季節感を表す句。ホトトギスの声とともに、長屋の軒先には、江戸当時流行した青々とした万年青の鉢が

ずる賢い家主の
一枚うわての迫力に
圧倒される新三。
二人のやりとりの
呼吸も見どころ

返事をしやあがれ！

**こじゃれた持ち物**

染め付けの湯のみに象牙の箸を使う工夫が、初夏にふさわしい涼しげな音を出す。いきがった浴衣といい、分不相応な持ち物も、みえっぱりなキャラをうまく表現している

**出自を示す入れ墨**

前科者の新三は、腕にその証拠の入れ墨がある。弱みを家主につかれて反論できない

## 目に青葉
## 山ホトトギス
## 初鰹

「初夏の季節感」も『髪結新三』の立役者です。朝湯帰りでごきげんな新三が魚屋から初鰹を買う場面では、スッキリした浴衣姿や、威勢のいい鰹売りの声が、五感に訴えます。ずる賢い家主とのバトルも見もので、言い負かされた新三は、娘の身代金の一部と鰹の半分も取られてしまいます。悪党でもどこか憎めない新三を中心に「生き生きした庶民のスケッチ」を、初夏の風で包みこんだような軽やかさが身上です。

# 多彩な変化もお楽しみ
# 『怪異談牡丹燈籠』

ここで登場
「怪異談牡丹燈籠（かいだんぼたんどうろう）」
若侍に恋して死んだ娘の幽霊と取引して大金を得た庶民の夫婦の心変わりを描く作品

巻いたムシロはホームレスか街娼のアイコン

落ちぶれた源次郎をはげます、お国。お峰、伴蔵カップルとの対比が印象的

幽霊を怖がるお峰と伴蔵夫婦。怪談というより、長編のリアル世話物

## 怪談よりも注目は…

古典に較べ、歴史の浅い演目は比較的演出が自由です。『怪異談牡丹燈籠』はその典型。カラ〜ンコロ〜ンと下駄を鳴らして、娘・お露の幽霊が、恋する若侍・萩原新三郎（はぎわらしんざぶろう）のもとを夜な夜な訪ね、とり殺す怪談を知る人も多いでしょう。

しかし歌舞伎の牡丹燈籠がユニークなのは「幽霊よりも人の心が怖い」というテーマです。主人公はお露と新三郎ではなく、どこにでもいそうな二組のカップル。裏長屋に住むお峰・伴蔵夫婦と、お露の父・飯島平左衛門の後妻・お国と愛人・宮野辺源次郎（みやのべげんじろう）です。伴蔵は幽霊と取引して百両をゲット、その結果、新三郎はとり殺されてしまいます。お峰と江戸を逃れた伴蔵は、故郷で商売に成功しますが、お峰の口から旧悪がばれるのを恐れて殺し、自分も破滅します。

貧しくても幸せだった夫婦が、豊かになった途端、心変わりするという展開には普遍性があります。平左衛門を殺して駆け落ちし、最後まで連れ添った源次郎とお国も破滅の道をたどります。

# こんなに変わる？ 4つのバージョン

脚本や演じる役者の個性に合わせて、結末も少々違う。
結末が変われば、全体の印象もずいぶん変わる

### 魔がさしちゃった？型

狂ったようにお峰を殺した伴蔵がハッと我に返り、死んだお峰を抱いて名前を呼び続ける。後悔してももう遅い。仁左衛門・玉三郎が演じたが、絵になるような美男美女でなければハードルが高いかも

### 余韻たっぷり型

大雨の土手で伴蔵に殺されたお峰が、川の中から伴蔵を引きずりこむ。雨がやみ静かになった土手をホタルが飛びかう。成功して浮かれる伴蔵は、凡人ながらも愛嬌があり、無常観と怪談らしい余韻が

### 近代的凡人型

自分の店の中で夫婦喧嘩した伴蔵が、お峰を幽霊と錯覚して殺す。錯乱した伴蔵は一人、いずこへと去って行く。心の弱さの表現がリアルかつ近代的で、近年では市川中車の好演が光った

### ガッツリ悪人型

他の三つは大西信行の文学座脚本が元だが、三代目河竹新七（かわたけしんしち）脚本でも演じられている。伴蔵はお峰を殺した後も平然と「女房は追いはぎに殺された」とウソをつくが、結局お縄に。ふてぶてしさNO.1

**と、いうわけで…**

**脳内クローズアップ＝キャラの本性の観察です**

音楽

# オーケストラ風もブルース調もアリ

## 長唄

詩を唄うポエム系。舞踊の伴奏で使われ、オーケストラ音楽に近い、明るく流れるような曲調。鼓や笛などのリズム隊も伴い、迫力のあるソロや集団演奏など構成も多彩

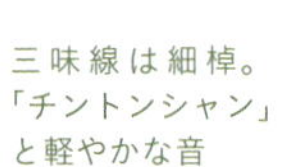

三味線は細棹。「チントンシャン」と軽やかな音

肩衣の色はさまざま。（イラストの色は柿色）

見台は白木

## 義太夫

肩衣の色はさまざま

黒塗りの房付き見台

三味線は太棹。音は「デーンデーン」と腹に響く低音

人形浄瑠璃を歌舞伎に移植した「義太夫狂言」の伴奏で使われる。歌舞伎専門の義太夫演奏者を「竹本」と呼ぶ。主に二人構成で、太夫がしぼり出すように人物の心の内を語り、三味線が合の手を入れる「和製ブルース」

## 常磐津

肩衣の色は柿色

見台は「タコ足」と呼ばれる朱色の3本脚

三味線は中棹。絵草紙（昔の絵本）を思わせる骨太な音

義太夫をもう少しメロディアスにしたもので、軽やかさと重厚さを併せ持つ。語りも三味線も両方じっくり聞かせたい江戸の美意識から生まれた

## 歌舞伎は、「音の洪水」です

歌舞伎の音の種類は、大きく分けて「伴奏音楽」と「効果音」の二種。伴奏音楽は「長唄」「義太夫」「常磐津」「清元」の四種があり、いずれも三味線が使われますが、音の種類も棹の太さも全て違います。

三味線

撥

この棒状のコマに二、三の糸がのる

①

左から太い順に一の糸 二の糸、三の糸。一の糸のみが直接棹に触れサワリというビィ〜ンとしたノイズを発生。響きを伸ばし共鳴を生む効果が。

# 遊び心たっぷりに進化した浄瑠璃

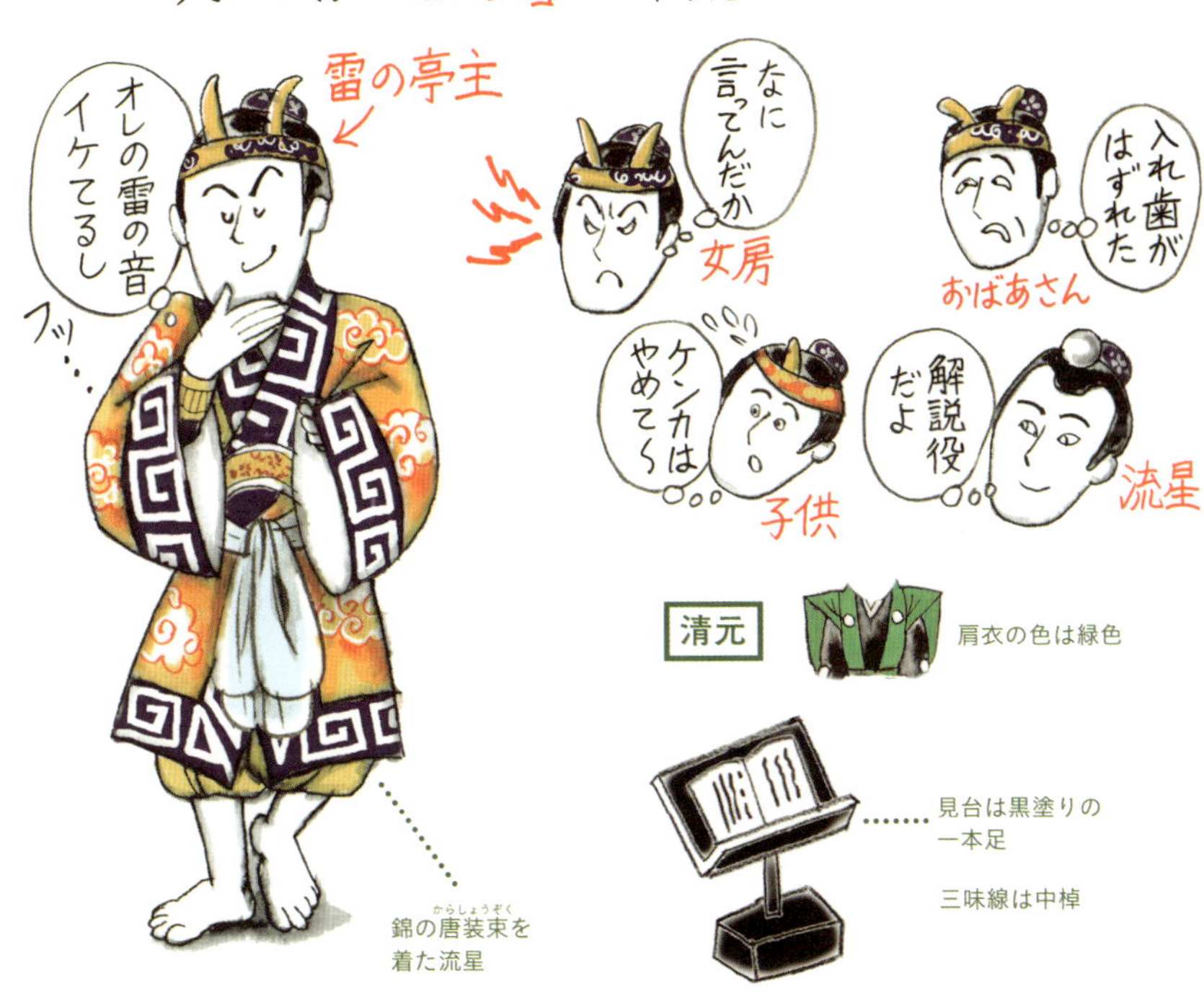


4種の中で一番新しく、繊細の極地まで進化した浄瑠璃。震えるような高音の節回しが特徴で「粋」「遊び心」「色っぽさ」が強い。アレンジや技巧も派手め

## 清元舞踊『流星（りゅうせい）』

亭主「出て行きゃれ」女房「なに出て行けとは」亭主「オオサ角を見るのも嫌になった」……と、いった具合の、雷の亭主と女房のコミカルな「夫婦喧嘩の実況中継」が『流星』のテーマ。端唄（はうた）の女師匠に惚れこんだ亭主の、端唄風のヘナチョコ雷に女房が文句をつける様子を、錦の流星が面白おかしく踊ります。

伴奏の「清元」は状況説明と登場人物の台詞も語り分けるのが特徴で、ここでは五役を語り分けます。

# 「うらめしや〜」を音で表現

ここで登場

「色彩間苅豆」(かさね)

少女かさねが恋をした18歳年上の遊び人・与右衛門は、かさねの母と過去に密通し、その夫を殺していた。壮絶な立ち廻りの末かさねも殺されるが、怨霊となって与右衛門を引き戻し……。可憐なかさねを恐ろしい因果が襲う舞踊劇

## 自然現象からポルターガイストまで

幽霊が登場する時の「ヒュ〜ドロドロ……」という効果音は歌舞伎がルーツです。ヒュ〜という細い笛の音(寝鳥の笛)と、ドロドロと一定のリズムで打つ大太鼓を組み合せたもので、舞台下手の黒い御簾をかけた小部屋で演奏されます。このように劇中で演奏される効果音を「黒御簾音楽」と呼びます。

唄や三味線で江戸当時の雰囲気を出したり、雨音や波などの自然現象をさまざまな楽器や道具で表現したりと、効果音の種類は多様。「聞こえない音」も表現するのが特徴で、たとえば「雪音」は大太鼓がドン、ドン、ドン……と一定の低いリズムで打たれ、しんしんと静かに降り積もる雪を見事に表現します。

江戸の町で良く聞かれた曲を採用したのが『髪結新三』(98頁)。『越後獅子』という、長唄の稽古でよく使われた曲で、ウキウキした軽やかな曲調が、五月のさわやかな季節感と新三の軽い雰囲気にピッタリです。

# 歌舞伎を盛り上げる裏方の楽器たち

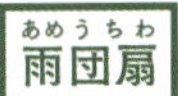

## 「音のコックピット」でド迫力の演奏！

幽霊登場時の大太鼓の打ち方にも工夫があります。祟る相手に恨みを述べている時はドロドロと陰鬱に響く「薄どろ」音ですが、霊の怒りが強まると同時に、ドンデン！ドンデン！と激しい音に変化。祟られた相手は、音に合わせて霊にキリキリ引き回されたり、逃げようとするのを引き戻されたり、まるでポルターガイストのよう。最後はドロン！と大きく打ち上げて霊現象は消失。「ドロンする」という言葉の由来です。

**と、いうわけで…**

**音が出るもの＝楽器にしてしまうのが歌舞伎です**

知っておくと楽しい！

# 歌舞伎用語集

**歌舞伎独特の用語もありますが「警官相手に大立ち回りを演じた」などという言い方は歌舞伎がルーツ。二枚目や三枚目など、普段何げなく使っている言葉の中にも、歌舞伎由来のものがたくさんあります**

## 【黒衣／くろご】

小道具の受け渡しや、着替えの手伝いをしたり、舞台上で役者をサポートする役目を後見と呼びますが、**黒頭巾と黒装束姿の後見**を、特に黒衣と呼びます。

歌舞伎では、黒という色は闇か、無を意味しますが、保護色の黒衣もおり、雪景色では白装束、海では青の装束を着用し、雪衣や浪衣と呼ばれます。原則として主演役者の門弟、大道具方がつとめますが、舞踊や様式的な演目では、顔を出して紋付や裃（かみしも）姿となります。

差し金を操る黒衣

## 【差し金／さしがね】

「誰の差し金だ」という慣用句の語源。**後見が使う黒く長い棒**で、先端に蝶や動物、人魂などの小道具や照明をつけて操ります。歌舞伎では黒は見えないというお約束になっていることもあり、「影で操る」という意味になりました。

たとえば蝶のように柔らかく舞うものは、しなりやすい細い棒の先に鯨のヒゲを取り付け、その先端に蝶をつけるという細かい工夫があります。

## 【四天／よてん】

もともとは歌舞伎の衣裳用語で、裾の脇にスリットが入った着物を指します。着用するのは大盗賊や戦場の伝令（注進）、捕り手など「戦闘モード」の人々で、動きやすいよう裾も短く着付けます。

代表的なのが**捕り手や雑兵役の四天（黒四天）と花四天**。これらは役柄の名称にもなっており、立ち回りでおなじみです。花四天は舞踊仕立ての立ち回りで登場し、赤い鉢巻き姿に花柄の着付け、花つきの枝を持った華やかな出で立ちです。

花四天

## 【とんぼ】

立ち回りという戦闘場面で、**主役に投げ飛ばされたり、切られたりした時に使われる宙返りの技**。とんぼは「きる」とは言わず、「返る」と言われます。高い屋根の上から返ったり、数人が一列にうずくまる上を飛び越す大技には、拍手がおこります。

## 【立ち回り／たちまわり】

**戦う動作を美しく様式化したもの。**「立ち回り」または「タテ」と呼び、ドンタッポと呼ばれるゆったりした黒御簾音楽の伴奏で、舞踊のような動きを見せます。主役を中心に、一対一から複数戦まであり、「とんぼ」をはじめとするさまざまな技を駆使し、はしごや傘などの小道具も使われます。

立ち回りはタテ師という専門家が、芝居の背景や役の性格を考慮しつつ、構成を考えます。立ち回りそのものを眼目にした『蘭平物狂』では、はしごを使った出初め式のようなアクロバットも見られます。

『神明恵和合取組』は団体戦で、鈍重な相撲取りとキビキビした鳶の動きの対比がユーモラス。変わり種は『都鳥廓白浪』の「おまんまの立ち回り」(48頁)。盗賊役の松若丸が、実際に舞台でご飯を食べながら戦います。



## 【ケレン】

観客を驚かすような演出のことで、**「ケレン味のない」という直球の表現をほめる言葉の語源。**『東海道四谷怪談』では、燃えている小さな提灯の中から幽霊が飛び出す「提灯抜け」をはじめ、さまざまなケレンが多用されることで有名です。舞台で大量の水を使ったり、巨大なガマが火を吹くなど、大がかりで奇抜な演出もケレンの一種です。

なかでも天井から吊りあげられた役者が**空中浮遊する「宙乗り」**が**代表的**ですが、歴史は案外古く、十八世紀初頭です。舞台上を横移動する場合と、花道の真上を移動する場合があり『加賀見山再岩藤』では、舞台の一面の花盛りの上を、傘をさした局・岩藤の亡霊がゆうゆうと歩んでいきます。

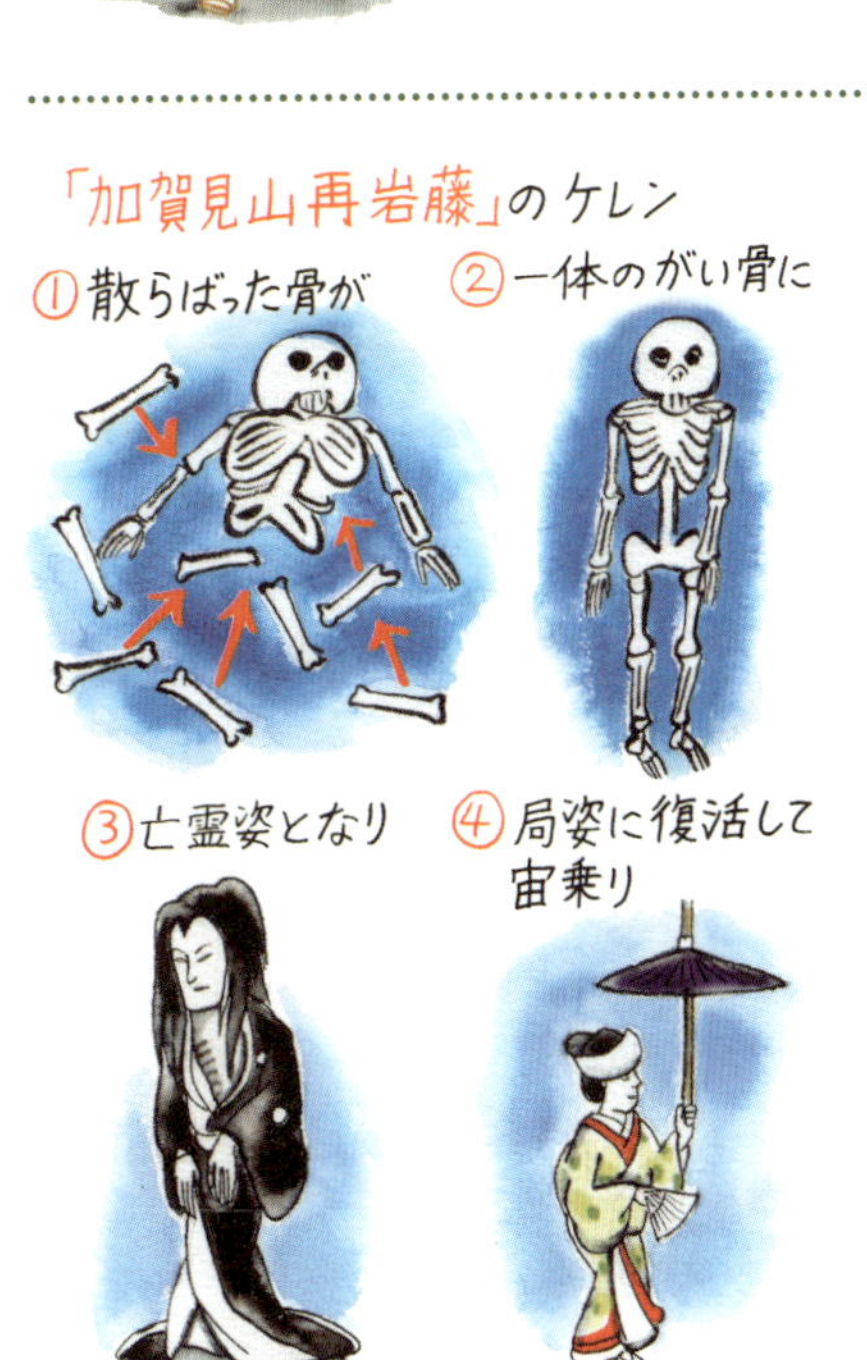

## ［襲名／しゅうめい］

代々受け継がれる役者の名前（名跡）は「出世魚方式」。たとえば市川新之助から海老蔵を経て、最高位は團十郎となるように、**名前が変わること**を襲名と呼び、いつ、どの段階で行われるかで、芸の習熟度の目安となります。

襲名披露の口上も、それぞれの家の特色があり、芸の一部。市川團十郎家の「にらみ」は邪気をはらう古式。片足をついてグッとにらむ姿は、荒事そのものの迫力です。

## ［口上／こうじょう］

舞台上から役者が観客に挨拶をのべること。**口上そのものを一幕のショーとして完成させたのが「襲名披露口上」**です。襲名する本人と、縁の深い幹部俳優たちが、正装で緋毛氈の上に居並び、お祝いをのべます。注目はその並び方で、地位に応じて決められます。芝居の役柄で舞台上の「居どころ」が決まっているのと同様、歌舞伎では「位置」が重要な意味を持ちます。中央に襲名する本人、隣に司会役の幹部、下手側に身内、全体の両端に大幹部、という並び方が一般的です。口上には独特の言い回しがあり「●●屋のおじさん」という「おじさん」は、血縁に関係なく大先輩という意味。少し上の先輩は「お兄さん」。観客は必ず「いづれもさま」と呼ばれます。

また「切口上」は現代では、とりつくしまのない応対を指しますが、これは江戸時代、一日の芝居の終わりに頭取（劇場トップ）が「まずは今日はこれ切り」と、観客にいかめしく挨拶したのが由来です。現代でも芝居の終盤で、出演中の役者が突然素に戻って舞台に正座し、切口上で幕となる場合があります。

## ［一世一代／いっせいちだい］

大勝負をイメージする言葉ですが、歌舞伎では、**役者が自分の得意な役を演じおさめる時**に使います。チラシなどでは、演目名の横に「だれそれ、一世一代にて相勤め申し候」と表記されます。近年では『女殺油地獄』の片岡仁左衛門の与兵衛などですが、江戸期とは違い、役者本人の引退を指すわけではありません。江戸～明治期の名劇作家・河竹黙阿弥は、一世一代の作品を書き上げた後、前名を黙阿弥に変えて引退宣言したものの、匹敵する作家は存在せず、ますます旺盛に活躍しました。

## 【二枚目、三枚目／にまいめ、さんまいめ】

**二枚目は色事担当の優男が持ち役の役者**を指し、現代の「イケメン」とは少し意味が異なります。江戸時代には、劇場に掲げられた名入り看板の二枚目に、色男担当の役者名があったのが由来です。同様に**三枚目は道化役の定位置**で、古い時代ほど役者の職分は厳格に別れていました。美しい白塗りが特徴の二枚目ですが、関西では「二枚目は三枚目の心で演ずべし」という口伝がありました。

関西の二枚目「廓文章」の伊左衛門

## 【兼ねる役者／かねるやくしゃ】

自分の資質に合った「本役」以外にも、**タイプの違うさまざまな役を演じる役者**を「兼ねる役者」と呼びます。

歌舞伎の役柄には、若女形、立役、敵役などさまざまな種類があり、江戸中期までは、一人一役柄が専門でした。後世、役柄の垣根が崩れ、複数の役柄をこなす役者も出て来ました。近年の兼ねる役者は、戦前なら六代目尾上菊五郎(おのえきくごろう)、戦後では十七代目中村勘三郎(なかむらかんざぶろう)などが代表的。名優・六代目の女婿である十七代目の演じた役は八〇〇以上で、ギネスブックにも掲載されました。その長男の十八代目も兼ねる役者として活躍しました。

十八代目中村勘三郎
キリッ！髪結新三
両極端の役！
ぽっちゃりラブリー
「京鹿子娘道成寺」花子

## 【顔見世／かおみせ】

芝居の国の正月は、ひと足早め。東京では毎年十一月に行われる「顔見世興行」がそれです。江戸時代、役者は芝居小屋（劇場）と一年間の契約を結んでおり、各座のメンバーは毎年入れ替わりました。野球のトレードに似て、各小屋が**「今年はこの顔ぶれでいきます」というお披露目をかね、一年間の大入りを願う最も重要なイベント**でした。

屋根に飾られる「櫓(やぐら)」という小屋のシンボルが見られるのも、この時期ならでは。この櫓、江戸期には官許である江戸三座のみに許されたもので、現在では顔見世の時期の吉例として残っています。二本の梵天を立て、五本の槍を前向きに並べ、正面には劇場の座紋を染め抜いた幕が飾られています。

一方、上方で顔見世といえば、京都の南座。こちらは十二月中心に行われ、東西合同のオールスター祭という感じ。南座の顔見世だけに残るのが、「まねき」という役者の名前を書いた看板。縦一八〇センチもある檜(ひのき)の一枚板で、役者の格や役柄により、その位置にも明確な決まりがありました。

顔見世で上げられる櫓

## 【大向こう／おおむこう】

舞台から見た正面の劇場後ろ、天井近くの席の観客を指す言葉。転じて、**安い席にたびたび通う芝居通の観客**を意味し「大向こうをうならせる」という言葉の語源です。**「○○屋！」というかけ声そのものも「大向こう」と呼びます。**歌舞伎を盛り上げるのに必須なもので、冒頭で「待ってました！」という大向こうがかかるのを前提に進行する「お祭り」という舞踊演目もあります。鳶の頭を演じる役者が「待っていたとはありがてえ」と受けるのが決まりで、大向こうがかからないことには、芝居を始めることができません。

## 【六方／ろっぽう】

荒事系の芝居などで演じられる**力強くリズミカルな歩きの芸で、花道の引っ込みなどで登場**します。

『勧進帳』の弁慶の勇壮な飛び六方をはじめ、狐の動きを取り入れた『義経千本桜』の狐忠信の狐六方など色々あるなか、変わり種が『宮島のだんまり』の袈裟太郎の傾城六方。女装の盗賊で、上半身は男の動き、下半身は遊女の外八文字を踏むというアブノーマルさ。

男の主役が演じる六方ですが、女の特殊な六方も。『金幣猿島郡（きんのざいさるしまだいり）』の滝夜叉姫は、身体は女、心は男で六方を踏みます。

## 【ツケ】

効果音の一種で、**舞台上手に座ったツケ打ちが、二本の拍子木を、板に打ちつけて音を出します。**その効果は「誇張」と「強調」。たとえば誰かが花道から駆け込んで来る時は「大変だあ！」という感じを誇張するため「バタバタバタ……」と足の運びに合わせて打たれ、武士は重く、町人はやや軽めにと、芝居心も必要です。見得が決まった時は「バタバタバタ……バーッタリ！」と大きく派手に、手紙やかんざしなど、芝居の上で重要な意味を持つものが落ちた時も「ここに注目！」と打たれます。幽霊が人を奈落に引き込もうとする場面では「ドロドロ、バタッ！ドロドロ、バタッ！」と、下座音楽の大太鼓と交互に激しく打たれ、ポルターガイストまがいの大音響。ツケを打つのは、関東では大道具方と決まっています。

## 【柝／き】

**観客や役者に芝居の進行や合図を知らせる音、またはその道具の名称。**二枚組の拍子木を打ち合わせる「チョーン！」と高く澄んだ音は、歌舞伎を象徴するもののひとつです。幕の開閉時や、舞台が回ったりセリが上下する時にも使われ、状況に応じた打ち方があります。

たとえば開演時にはまず「化粧にかかれ」の柝が入り、開演15分前は「衣裳とかつらの支度にかかれ」、開幕直前に「すべて準備OK」の合図で二つ打たれる（柝が直る）と、下座音楽の演奏が始まり、楽屋に忘れ物を取りに戻ることもできません。観客も気分が高まる一瞬です。

また役者の最後の台詞の直前に、チョーンと打たれる「柝頭」は、演技のタイミングを左右し、芝居の「間」を整える効果抜群です。ツケとは違い、通常は観客から見えない位置で「狂言方」が打ち、良い音が出るよう常に手入れと練習を怠りません。

チョーン！
よく乾かした樫の木の柾目（まっすぐな繊維）が無数のパイプの役目をして共鳴。良い音が出る

## 【だんまり】

**まっ暗闇のなかで複数の人物が、ゆったりした動きでさぐりあうパントマイム。** 黙秘を通す「だんまりを決めこむ」という言葉の語源です。舞台となるのは、庶民の世界を描いた世話物では水辺、武家社会の事件を描く時代物では山の中という設定が多いのも面白い。それぞれ「世話だんまり」「時代だんまり」と呼ばれ、最後は後方の黒幕が落ちてパッと明るくなり、登場人物が見得をして幕となります。キーパーソンが落とした品物や宝物を拾ったり奪い合ったりして、続く幕で、それを証拠物件として犯人をあばいたり、謎がとける「だんまりほどき」もお約束です。

「時代だんまり」では、大盗賊や武将など、多彩なキャラを見せるショー的な意味合いが強く「宮島のだんまり」（200頁）のように、だんまり自体を独立して見せる演目もあります。

## 【引き抜き／ひきぬき】

衣裳の変身術の一種で、**軽く縫い付けた上側の布地を素早くはがすことにより、下側の全く違う色柄の衣裳が現れる仕掛け。** 舞台上でサポート役の後見が、上の着物を縫い付けている糸を、タイミングよく引き抜きます。

スピードが命なので、糸は滑りを良くするため、蝋が塗ってあります。引き抜いた衣裳を、毎回元通りに縫い合わせるのもスタッフの仕事です。

「京鹿子娘道成寺」 踊りながら一瞬で変身。後見とのあ・うんの呼吸。

すれ違いざまに入れかわる
「お染の七役」

## 【早変わり／はやがわり】

ケレンの一種で、**一人の役者がタイプの違う役に素早く変身する演出**。たとえば男女二人が花道ですれ違った瞬間、入れ替わる仕掛けは江戸時代からあります。『お染の七役』などが代表的ですが『伊達の十役』のように十役を変わる演目もあり、体力的にも大変きつくなります。必然的に同場面で二役が重なる時があり、その場合は、主演者に背格好の似た「吹き替え」という別人が替え玉になります。

吹き替えは主演者の弟子がつとめるのが原則。近年では技術が上がり、短時間で何度も瞬時に入れ替わって、目まぐるしさに混乱するほどです。階段などの大道具も利用するなど色々な方法があります。身体の単なる外見だけではなく、中身まで別人になっていることが重要で、早変わり演出の狙いもそこにあるわけです。要は「キャラの演じ分け」が最大のキモです。

## 【物語／ものがたり】

三味線音楽にのって一人で演じる再現ドラマのことで、義太夫狂言の時代物特有の演出。**役者が派手に身体を動かしながら、過去の出来事をリズム感たっぷりに物語る「和製ヒップホップ」**。この演奏部分を「ノリ地」と呼びます。

内容は合戦のシーンなどが中心で、一人で複数の登場人物も描写します。一本の扇で吹き下ろす風や海のうねり、馬上の様子や弓矢なども巧みに表現し、その場にない情景を舞台の上に出現させます。ノリノリのリズムにはラッパーもびっくりです。

## 【道行／みちゆき】

ある目的地に着くまで男女が連れ立ったり、旅の情景を描いた演出で、主に舞踊劇仕立てです。長い物語の一部分を独立させたもので、恋人たちの逃避行というパターンが基本ですが、『仮名手本忠臣蔵(かなでほんちゅうしんぐら)』八段目の戸無瀬と小浪のような母娘や、『義経千本桜(よしつねせんぼんざくら)』吉野山の静と狐忠信のような主従の場合も。

季節感も織りこまれて華やかながら、多くが駆け落ちや心中の旅であり、最後は悲劇的な運命が待ち受けていますが、単純に「物語の一部を踊りでアレンジして楽しむ」ものと言えます。

「曽根崎心中」の道行

新版歌祭文「野崎村」

## ［くどき］

**義太夫のリズムにのって、女性が思いのたけを切々と訴える演出。**女形の見せ場です。気持ちが高ぶると、台詞よりも身体の動きで表現するのは人形浄瑠璃からの影響。舞踊的な動きが特徴ですが、特に活躍するのは袖で、巻きこんだり、たもとで優しくぶつようにしたりして、心のうちを表現します。

内容はおもに恋愛がらみですが『伽羅先代萩』では、幼君の身替わりとなって死んだわが子・千松への想いを、幼君の乳人（乳母）・政岡が訴えます。

## ［モドリ］

**悪人と見えた人物が、劇のラストで善人に立ち返る趣向。**重要人物を救うため、わざと悪人らしく見せていた者が瀕死の重傷を負い、その理由を周囲に告白しながら死んでいきます。演じ手は、**モドリになるまでは善人らしさを観客に匂わせてはならないのがセオリー。**『義経千本桜』に登場する「いがみの権太」が代表的ですが、『摂州合邦辻』（合邦）の玉手は女性のモドリです。

## ［狂言／きょうげん］

歌舞伎の演目のなかで、**物語性が強く芝居の要素が濃いものを狂言と呼び**、いわゆる「能・狂言」とは意味合いが異なります。**「狂言作者」は、芝居小屋の座付きとなって歌舞伎の脚本を専門に書く作家のこと**で、江戸時代にはチームで仕事をしていました。河竹黙阿弥、鶴屋南北などが代表的です。

現在では主に舞台進行を担当し（狂言方とも言う）、柝を打つのも重要な仕事です。上演台本の改訂、衣裳や小道具を担当部署に発注するための「附帳」を書き、舞台で使う手紙を製作することもあります。

## ［梨園／りえん］

「梨園の妻」などと呼ばれるように、**歌舞伎界の別名。**唐の玄宗帝が、梨の木のなる庭園で、自ら弟子に歌舞音曲を教えたという故事が由来です。

## ［江戸三座／えどさんざ］

江戸期における官許の芝居小屋で、中村座、市村座、森田座を指します。現在の定式幕（萌黄色、柿色、黒の縦縞）は、各小屋の幕の色がルーツ。引き幕、回り舞台、花道の舞台機構も、三座のみに許されていました。

中村座の定式幕

3

# 三章
# 歌舞伎役者とその芸脈

名跡と屋号

# 市川さんとは呼ばないで



**たとえば『助六』は…**

『助六由縁江戸桜』(184頁)は、市川團十郎家の「家の芸」。二代目市川團十郎は後に海老蔵と改名したが、現代では最高位の名跡・團十郎の前名になっている。両方とも江戸歌舞伎を代表する名跡であり、助六とは切っては切れない関係

## 単なる名前ではない「名跡」

インタビューなどで役者さんを姓で呼ぶのは今ひとつでしょう。同じ姓の人はたくさんいますし、市川團十郎、市川猿之助、市川染五郎は、それぞれ芸風も異なる家の人です。このように代々受け継がれる芸名は「名跡」と呼ばれる、一種のブランドのようなもの。海老蔵や團十郎なら豪快な荒事、菊五郎なら粋な世話物というふうに、名跡から連想できる特色があり、受け継がれているのは単なる名前ではなく、芸の中身です。名跡は出世魚方式で、いくつかの名前を経て最高位の名跡に到達します。

役者の家には、名跡とセットで代々伝わる「屋号」もあります。その家の看板のようなもので、たとえば市川家なら成田屋。祖先が成田不動尊を信仰していたことから名乗りました。上演中に「○○屋！」とかけて舞台を盛り上げる効果があります。インタビューでは「市川さん」ではなく「團十郎さん」「成田屋さん」と呼ぶのが正解です。

# 兄弟で名字や屋号が違う理由

松本白鸚（高麗屋）、中村吉右衛門（播磨屋）の場合、吉右衛門が初代吉右衛門の養子となり、その芸風も受け継いだため屋号も違う。また市川染五郎は松本幸四郎の前名で、市川團十郎家と松本家の縁の深さがわかる

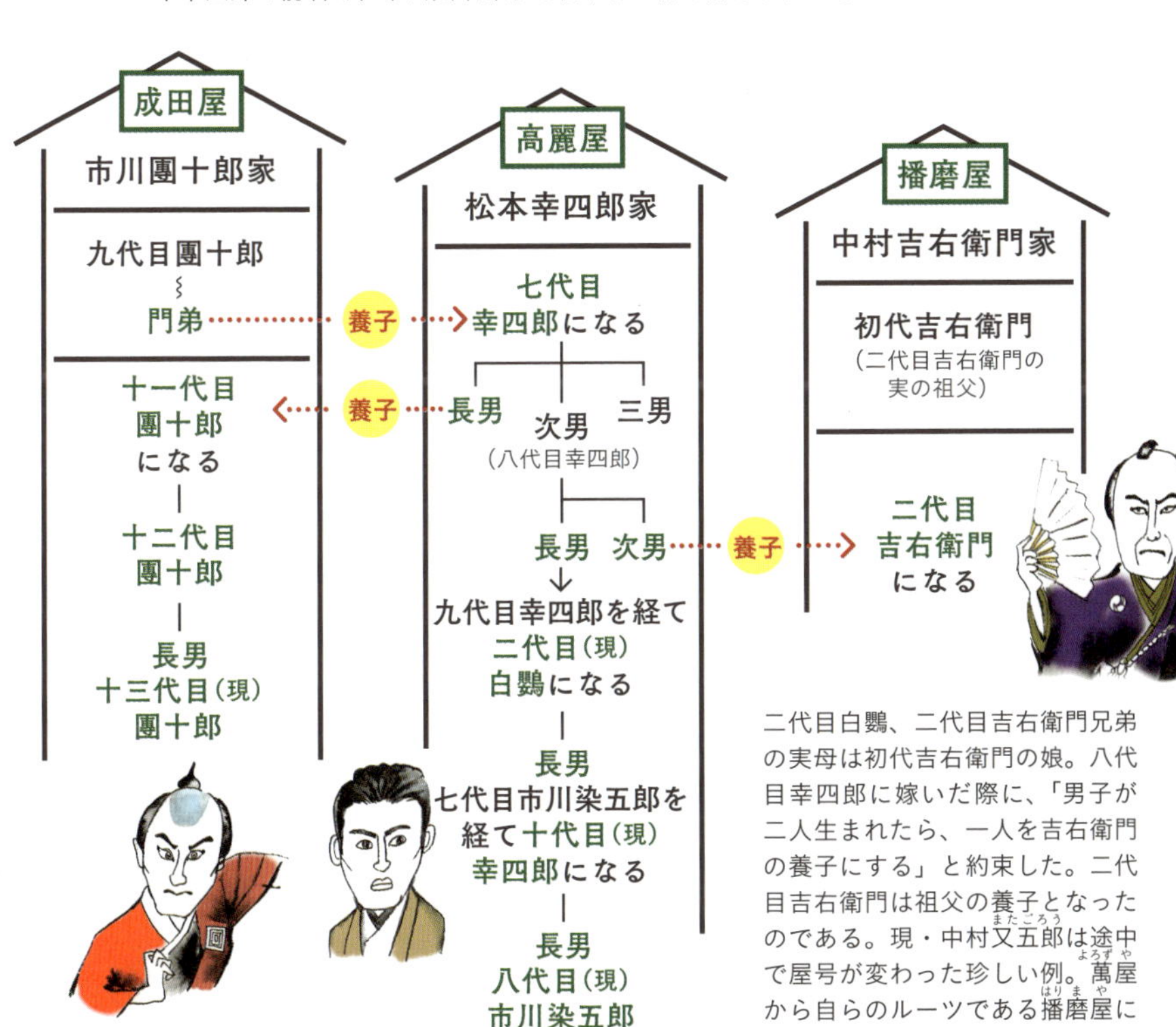


二代目白鸚、二代目吉右衛門兄弟の実母は初代吉右衛門の娘。八代目幸四郎に嫁いだ際に、「男子が二人生まれたら、一人を吉右衛門の養子にする」と約束した。二代目吉右衛門は祖父の養子となったのである。現・中村又五郎は途中で屋号が変わった珍しい例。萬屋から自らのルーツである播磨屋に復帰し、吉右衛門と舞台でタッグを組む決意表明ともいえた

## 「養子」の慣習が一因

二代目松本白鸚、二代目中村吉右衛門は実の兄弟ですが、芸風も屋号も違います。十代目松本幸四郎、八代目市川染五郎も実の親子ですが、屋号は同じ。役者の家では名跡を継ぐ実子がいない場合、他家から養子を迎えるのが通例でした。松本幸四郎家は市川團十郎家の弟子筋にあたり、團十郎家に子がいない場合は幸四郎家から養子を迎えました。そんな慣習が名跡に組みこまれ、違う姓が混在する一因となりました。

まるでヨーロッパの王族のよう!?

# 一目でわかる歌舞伎役者家系図

各家の関係を、分かりやすく家系図で解説。主な家の解説は126〜130頁を参照

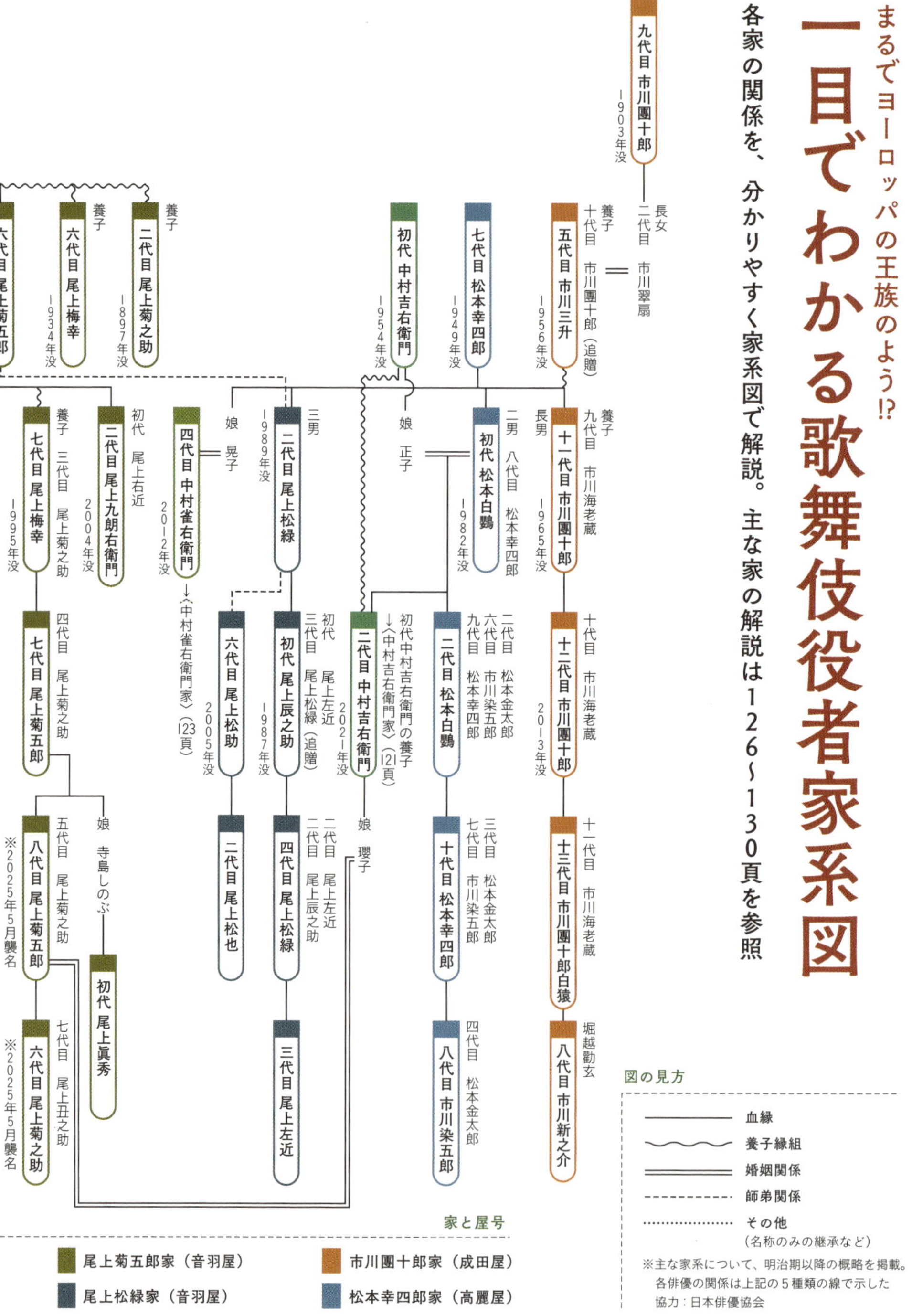

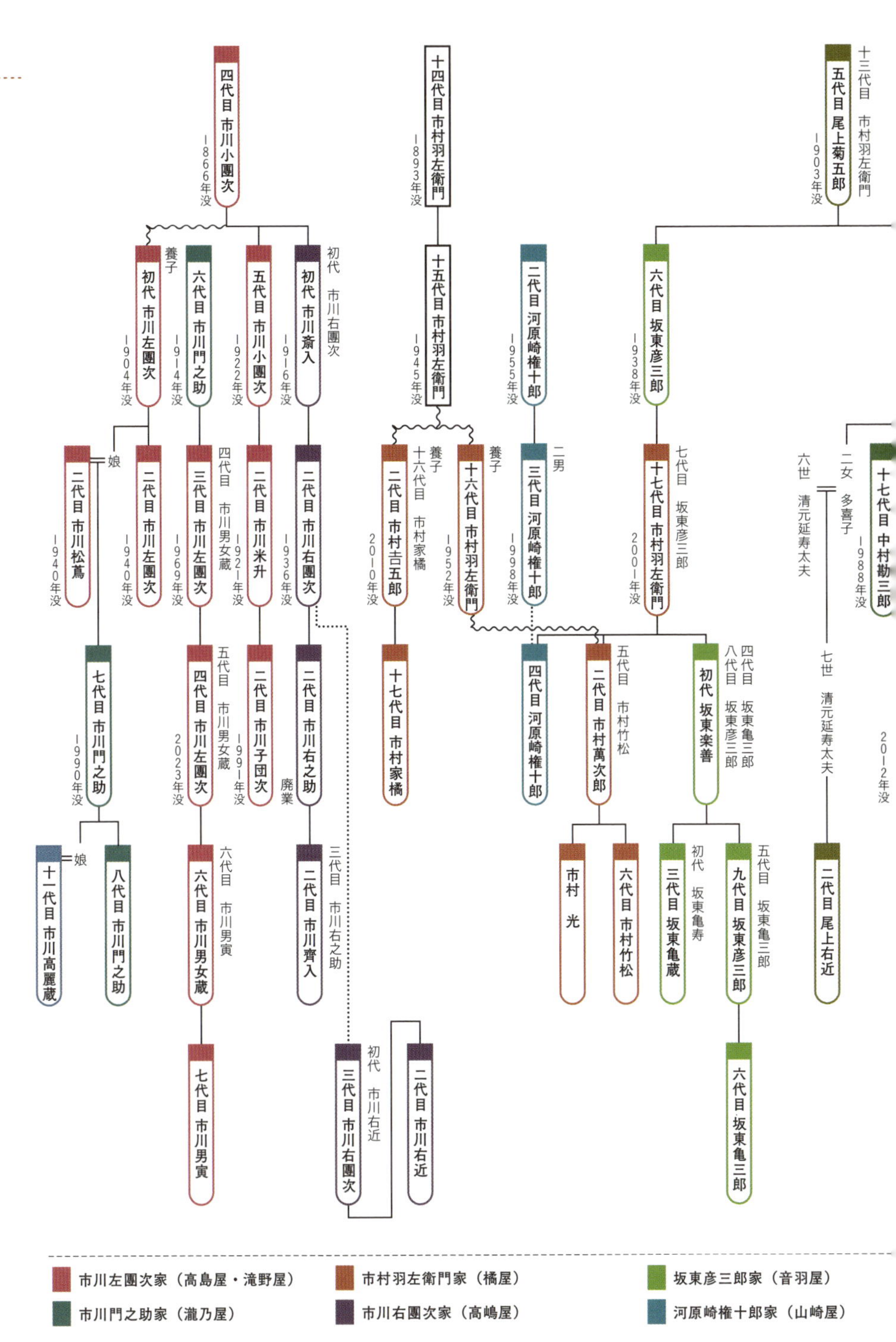
十三代目 市村羽左衛門
五代目 尾上菊五郎
1903年没
六代目 坂東彦三郎
1938年没
七代目 坂東彦三郎
十七代目 市村羽左衛門
2001年没
十七代目 中村勘三郎
1988年没
二女 多喜子
六世 清元延寿太夫
七世 清元延寿太夫
2012年没
二代目 尾上右近
四代目 坂東亀三郎
八代目 坂東彦三郎
初代 坂東楽善
五代目 坂東亀三郎
九代目 坂東彦三郎
初代 坂東亀寿
三代目 坂東亀蔵
六代目 坂東亀三郎
五代目 市村竹松
二代目 市村萬次郎
六代目 市村竹松
市村 光
四代目 河原崎権十郎
二代目 河原崎権十郎
1955年没
二男
三代目 河原崎権十郎
1998年没
十四代目 市村羽左衛門
1893年没
十五代目 市村羽左衛門
1945年没
養子
十六代目 市村羽左衛門
1952年没
養子
十六代目 市村家橘
二代目 市村吉五郎
2010年没
十七代目 市村家橘
四代目 市川小團次
1866年没
初代 市川右團次
初代 市川斎入
1916年没
五代目 市川小團次
1922年没
六代目 市川門之助
1914年没
養子
初代 市川左團次
1904年没
二代目 市川右團次
1936年没
二代目 市川米升
1921年没
四代目 市川男女蔵
三代目 市川左團次
1969年没
二代目 市川左團次
1940年没
娘
二代目 市川松蔦
1940年没
二代目 市川右之助
廃業
二代目 市川子団次
1991年没
五代目 市川男女蔵
四代目 市川左團次
2023年没
七代目 市川門之助
1990年没
三代目 市川右之助
二代目 市川齊入
六代目 市川男寅
六代目 市川男女蔵
八代目 市川門之助
娘
十一代目 市川高麗蔵
七代目 市川男寅
初代 市川右近
三代目 市川右團次
二代目 市川右近
市川左團次家（高島屋・滝野屋）
市川門之助家（瀧乃屋）
市村羽左衛門家（橘屋）
市川右團次家（高嶋屋）
坂東彦三郎家（音羽屋）
河原崎権十郎家（山崎屋）

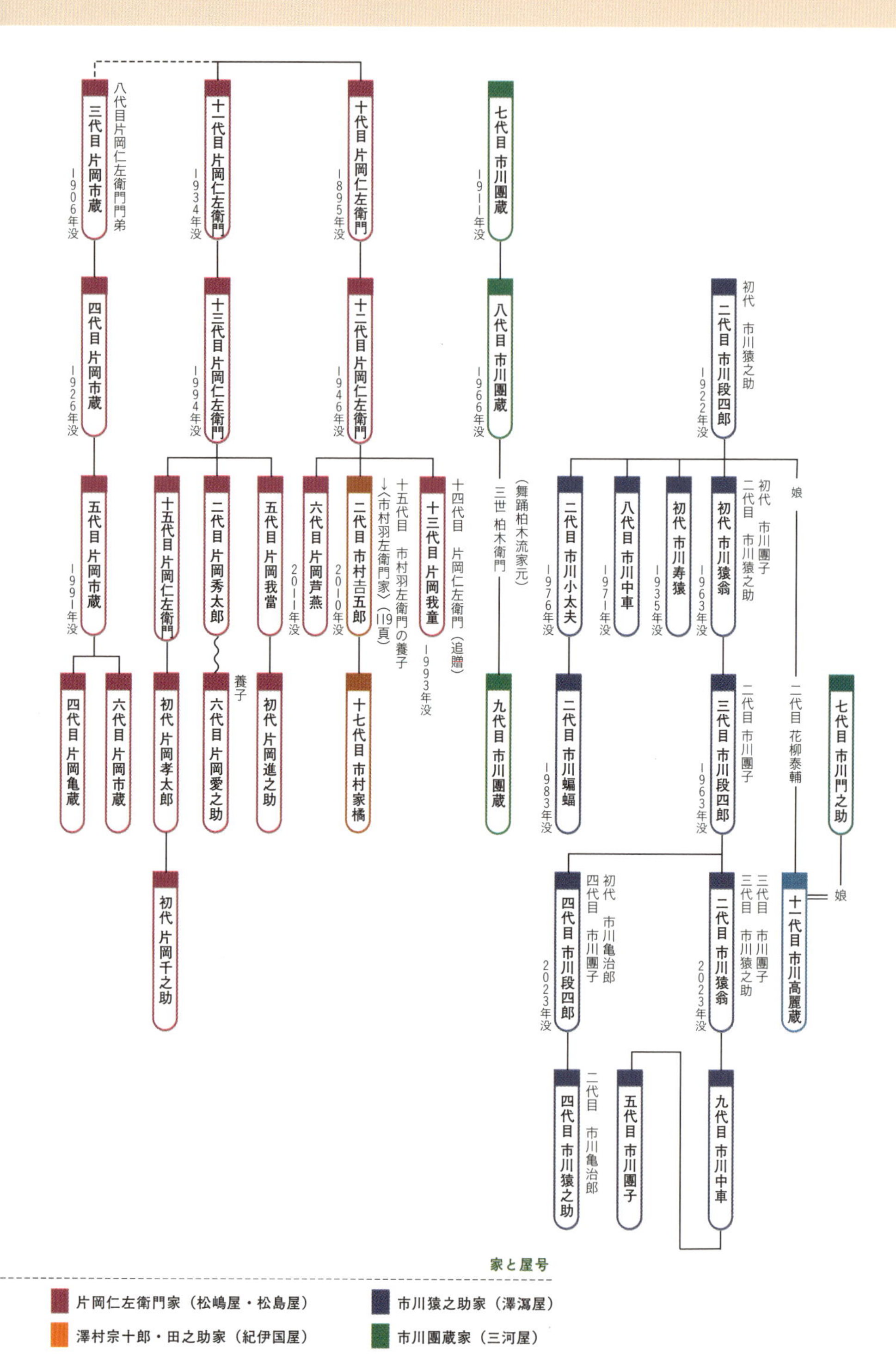

三代目 片岡市蔵
八代目片岡仁左衛門門弟
1906年没
十一代目 片岡仁左衛門
1934年没
十代目 片岡仁左衛門
1895年没
七代目 市川團蔵
1911年没
四代目 片岡市蔵
1926年没
十三代目 片岡仁左衛門
1994年没
十二代目 片岡仁左衛門
1946年没
八代目 市川團蔵
1966年没
二代目 市川段四郎
初代 市川猿之助
1922年没
五代目 片岡市蔵
1991年没
十五代目 片岡仁左衛門
二代目 片岡秀太郎
五代目 片岡我當
六代目 片岡芦燕
2011年没
二代目 市村吉五郎
2010年没
十五代目 市村羽左衛門の養子
→〈市村羽左衛門家〉(119頁)
十三代目 片岡我童
十四代目 片岡仁左衛門(追贈)
1993年没
三世 柏木衛門
(舞踊柏木流家元)
二代目 市川小太夫
1976年没
八代目 市川中車
1971年没
初代 市川寿猿
1935年没
初代 市川猿翁
初代 市川團子
二代目 市川猿之助
1963年没
娘
四代目 片岡亀蔵
六代目 片岡市蔵
初代 片岡孝太郎
養子
六代目 片岡愛之助
初代 片岡進之助
十七代目 市村家橘
九代目 市川團蔵
二代目 市川蝙蝠
1983年没
三代目 市川段四郎
二代目 市川團子
1963年没
二代目 花柳泰輔
七代目 市川門之助
初代 片岡千之助
四代目 市川段四郎
初代 市川亀治郎
四代目 市川團子
2023年没
二代目 市川猿翁
三代目 市川團子
三代目 市川猿之助
2023年没
十一代目 市川高麗蔵
娘
四代目 市川猿之助
二代目 市川亀治郎
五代目 市川團子
九代目 市川中車
家と屋号
片岡仁左衛門家(松嶋屋・松島屋)
市川猿之助家(澤瀉屋)
澤村宗十郎・田之助家(紀伊国屋)
市川團蔵家(三河屋)

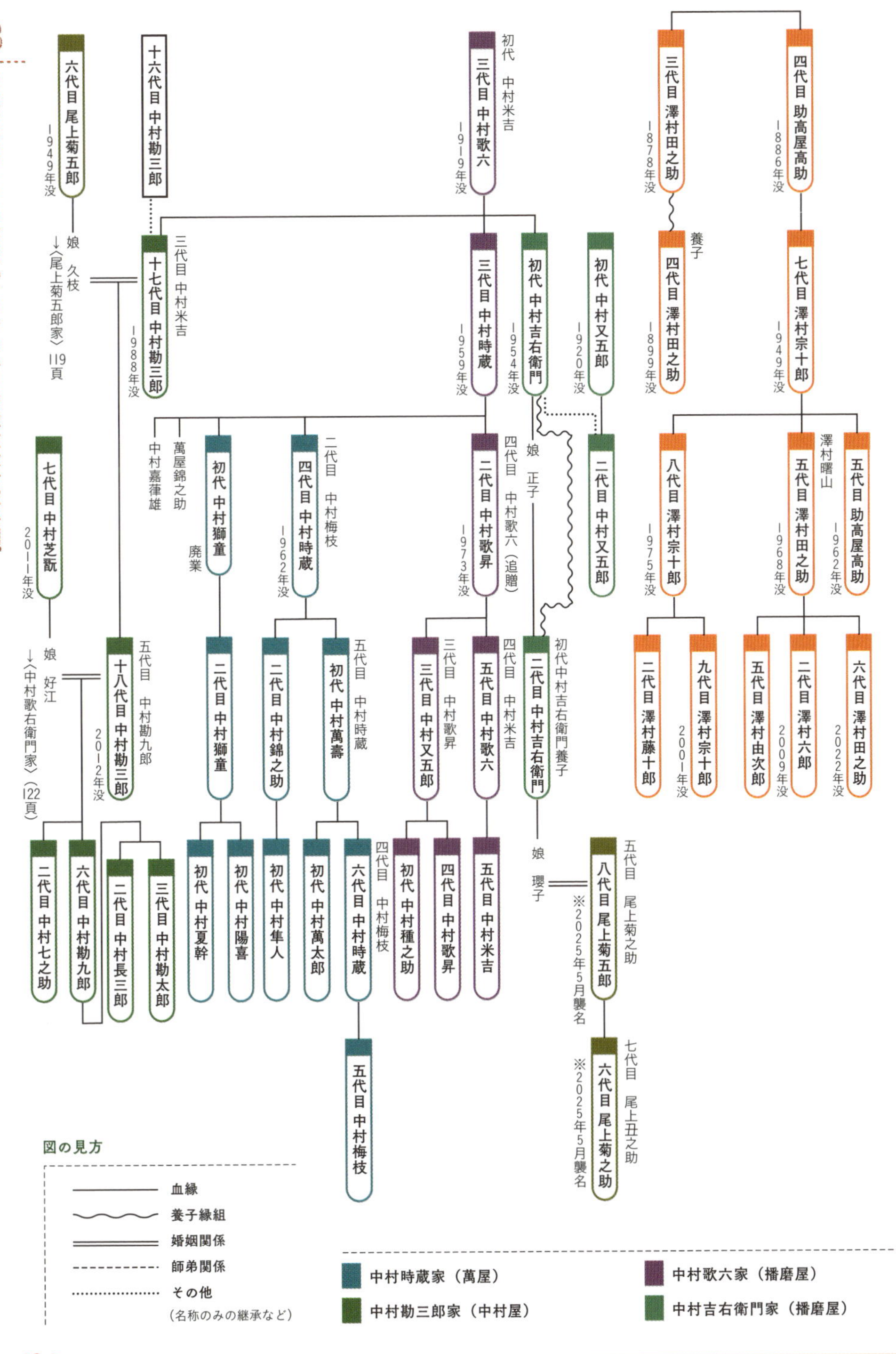
六代目 尾上菊五郎
1949年没
娘 久枝
↓〈尾上菊五郎家〉119頁
十六代目 中村勘三郎
十七代目 中村勘三郎
三代目 中村米吉
1988年没
初代 中村米吉
三代目 中村歌六
1919年没
三代目 中村時蔵
1959年没
初代 中村吉右衛門
1954年没
初代 中村又五郎
1920年没
三代目 澤村田之助
1878年没
養子
四代目 澤村田之助
1899年没
四代目 助高屋高助
1886年没
七代目 澤村宗十郎
1949年没
七代目 中村芝翫
2011年没
娘 好江
↓〈中村歌右衛門家〉122頁
中村嘉葎雄
萬屋錦之助
初代 中村獅童
廃業
四代目 中村時蔵
二代目 中村梅枝
1962年没
二代目 中村歌昇
四代目 中村歌六（追贈）
1973年没
娘 正子
二代目 中村又五郎
八代目 澤村宗十郎
1975年没
五代目 澤村田之助
澤村曙山
1968年没
五代目 助高屋高助
1962年没
十八代目 中村勘三郎
五代目 中村勘九郎
2012年没
二代目 中村獅童
二代目 中村錦之助
初代 中村萬壽
五代目 中村時蔵
三代目 中村又五郎
三代目 中村歌昇
五代目 中村歌六
四代目 中村米吉
二代目 中村吉右衛門
初代中村吉右衛門養子
二代目 澤村藤十郎
九代目 澤村宗十郎
2001年没
五代目 澤村由次郎
二代目 澤村六郎
2009年没
六代目 澤村田之助
2022年没
二代目 中村七之助
六代目 中村勘九郎
二代目 中村長三郎
三代目 中村勘太郎
初代 中村夏幹
初代 中村陽喜
初代 中村隼人
初代 中村萬太郎
六代目 中村時蔵
四代目 中村梅枝
初代 中村種之助
四代目 中村歌昇
五代目 中村米吉
娘 瑶子
八代目 尾上菊五郎
五代目 尾上菊之助
※2025年5月襲名
五代目 中村梅枝
六代目 尾上菊之助
七代目 尾上丑之助
※2025年5月襲名
図の見方
血縁
養子縁組
婚姻関係
師弟関係
その他
（名称のみの継承など）
中村時蔵家（萬屋）
中村勘三郎家（中村屋）
中村歌六家（播磨屋）
中村吉右衛門家（播磨屋）

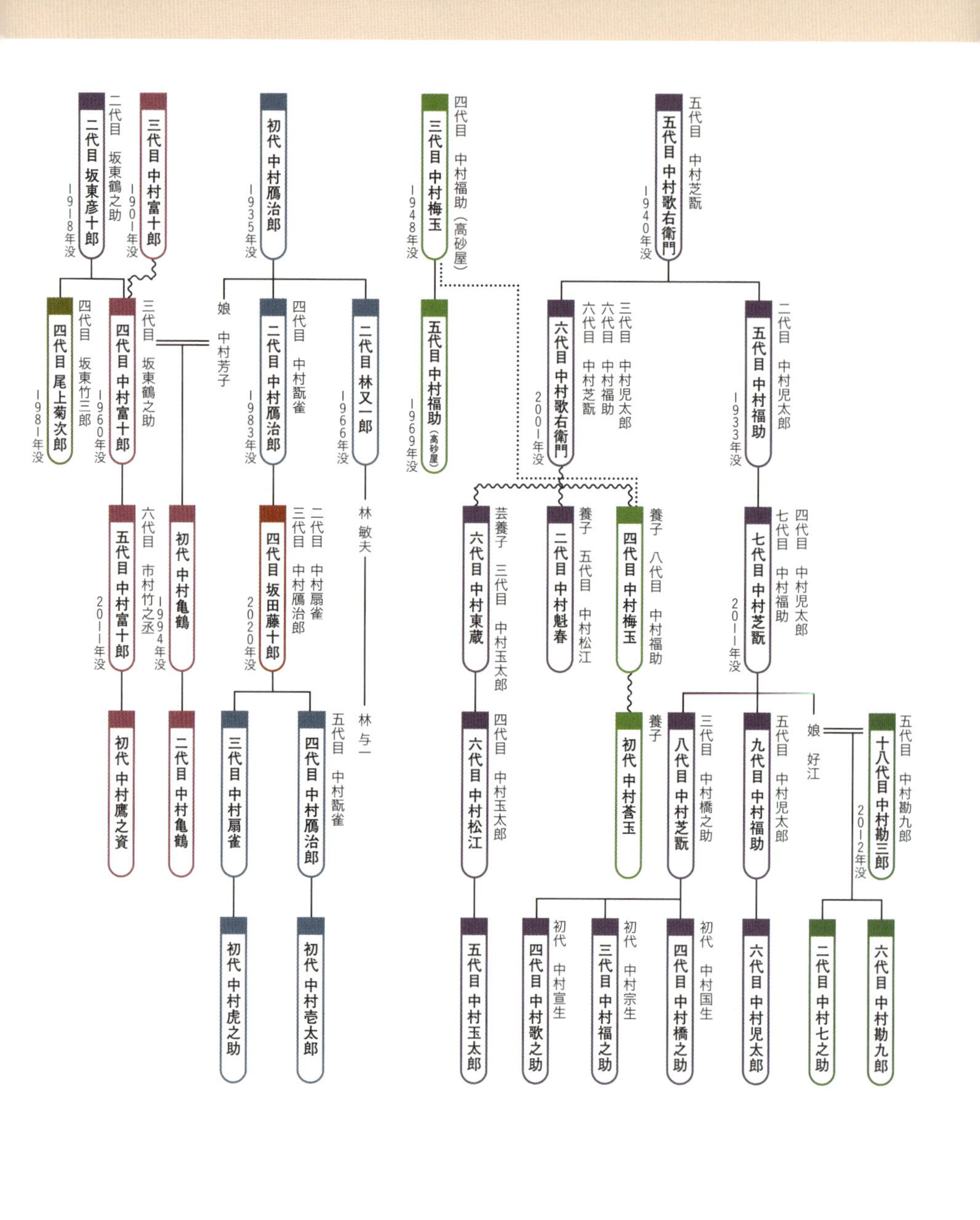
五代目 中村歌右衛門
五代目 中村芝翫
1940年没
五代目 中村福助
二代目 中村児太郎
1933年没
六代目 中村歌右衛門
三代目 中村児太郎
六代目 中村福助
六代目 中村芝翫
2001年没
七代目 中村芝翫
四代目 中村児太郎
七代目 中村福助
2011年没
四代目 中村梅玉
養子 八代目 中村福助
二代目 中村魁春
養子 五代目 中村松江
六代目 中村東蔵
芸養子 三代目 中村玉太郎
六代目 中村松江
四代目 中村玉太郎
五代目 中村玉太郎
初代 中村莟玉
養子
八代目 中村芝翫
三代目 中村橋之助
九代目 中村福助
五代目 中村児太郎
娘 好江
十八代目 中村勘三郎
五代目 中村勘九郎
2012年没
四代目 中村歌之助
初代 中村宣生
三代目 中村福之助
初代 中村宗生
四代目 中村橋之助
初代 中村国生
六代目 中村児太郎
二代目 中村七之助
六代目 中村勘九郎
三代目 中村梅玉
四代目 中村福助（高砂屋）
1948年没
五代目 中村福助（高砂屋）
1969年没
初代 中村鴈治郎
1935年没
娘 中村芳子
二代目 中村鴈治郎
四代目 中村翫雀
1983年没
二代目 林又一郎
1966年没
林 敏夫
林 与一
四代目 坂田藤十郎
二代目 中村扇雀
三代目 中村鴈治郎
2020年没
三代目 中村扇雀
四代目 中村鴈治郎
五代目 中村翫雀
初代 中村虎之助
初代 中村壱太郎
二代目 坂東彦十郎
二代目 坂東鶴之助
1918年没
三代目 中村富十郎
1901年没
四代目 尾上菊次郎
四代目 坂東竹三郎
1981年没
四代目 中村富十郎
三代目 坂東鶴之助
1960年没
五代目 中村富十郎
六代目 市村竹之丞
2011年没
初代 中村亀鶴
1994年没
初代 中村鷹之資
二代目 中村亀鶴

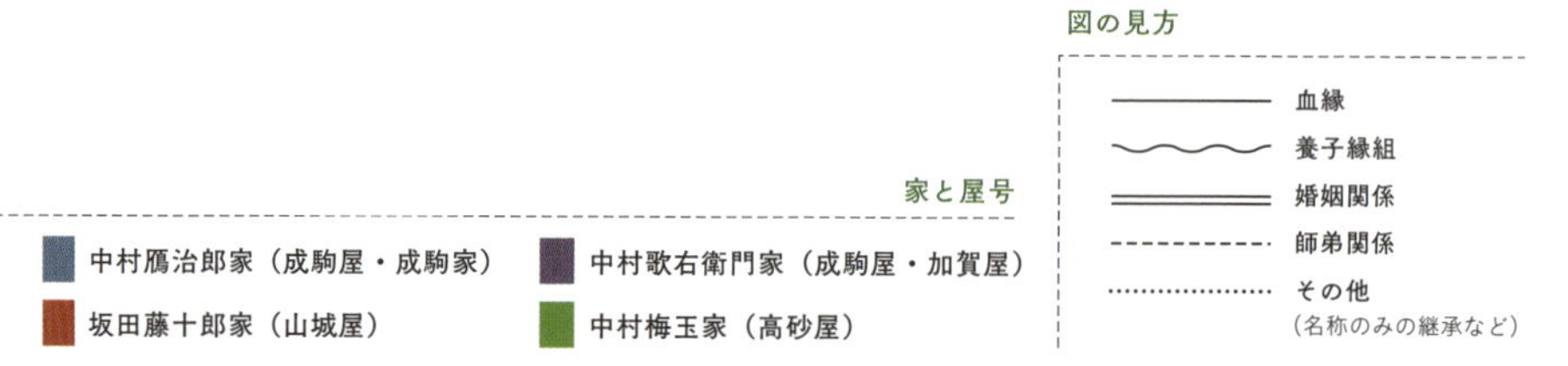
図の見方
血縁
養子縁組
婚姻関係
師弟関係
その他
（名称のみの継承など）
家と屋号
中村鴈治郎家（成駒屋・成駒家）
坂田藤十郎家（山城屋）
中村歌右衛門家（成駒屋・加賀屋）
中村梅玉家（高砂屋）

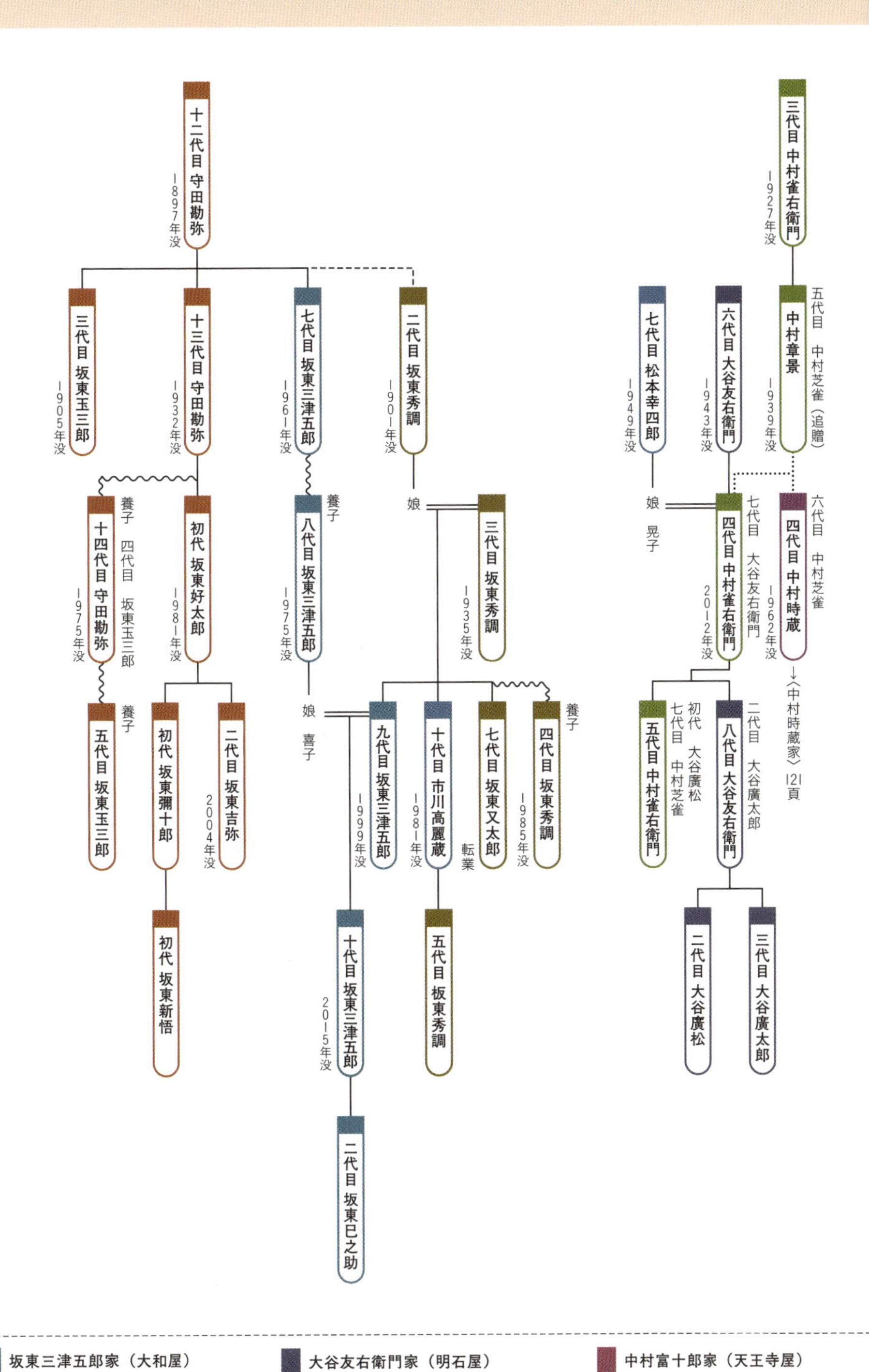

十二代目 守田勘弥
1897年没
三代目 坂東玉三郎
1905年没
十三代目 守田勘弥
1932年没
七代目 坂東三津五郎
1961年没
二代目 坂東秀調
1901年没
養子
十四代目 守田勘弥
四代目 坂東玉三郎
1975年没
初代 坂東好太郎
1981年没
養子
八代目 坂東三津五郎
1975年没
娘
三代目 坂東秀調
1935年没
養子
五代目 坂東玉三郎
初代 坂東彌十郎
二代目 坂東吉弥
2004年没
娘
喜子
九代目 坂東三津五郎
1999年没
十代目 市川高麗蔵
1981年没
七代目 坂東又太郎
転業
養子
四代目 坂東秀調
1985年没
初代 坂東新悟
十代目 坂東三津五郎
2015年没
五代目 板東秀調
二代目 坂東巳之助
三代目 中村雀右衛門
1927年没
七代目 松本幸四郎
1949年没
六代目 大谷友右衛門
1943年没
中村章景
五代目 中村芝雀（追贈）
1939年没
娘
晃子
四代目 中村雀右衛門
七代目 大谷友右衛門
2012年没
四代目 中村時蔵
六代目 中村芝雀
1962年没
→〈中村時蔵家〉121頁
五代目 中村雀右衛門
初代 大谷廣松
七代目 中村芝雀
八代目 大谷友右衛門
二代目 大谷廣太郎
二代目 大谷廣松
三代目 大谷廣太郎
坂東三津五郎家（大和屋）
坂東秀調家（大和屋）
大谷友右衛門家（明石屋）
守田勘弥家（喜の字屋・大和屋）
中村富十郎家（天王寺屋）
中村雀右衛門家（京屋）

家の芸と個性

# 演技も衣裳も題名も小道具も変わる

## 「京鹿子娘道成寺」の中啓

中啓とは扇の一種で舞踊にも使う。『京鹿子娘道成寺』では演者によってゆかりのある柄に変わり、菊五郎系では裏は菊の柄になっている。小道具は役者の精神的なサポートも担う

## 「助六」の刀のつば

助六を演じる役者によって小道具も変わる。たとえば片岡仁左衛門家が演じる時は外題が『助六曲輪初花桜』になり、刀のつばや傘の模様も杏葉桜になる。片岡家の正式紋「丸に二引」ではないのはデザイン的見地から

### 演者で音楽も変わる『助六』

同じ演目でもその家特有の演じ方がありますが、本外題（正式題名）も変わる特殊な例が歌舞伎十八番『助六』（184頁）です。市川團十郎家が演じる時は『助六由縁江戸桜』ですが、他家の場合は市川家に遠慮して少し変えます。尾上菊五郎家は『助六曲輪菊』で、音楽も河東節を清元に変更。紙衣を着るくだりもありません。同様に小道具に入る役者ゆかりの紋など、客席から見えないようなところのデザインも変わります。

# こんなに違う『熊谷陣屋』

**平山見得**(ひらやまみえ)

洗練された團十郎型に較べると芝翫型は野性味がある

**制札の見得**(せいさつのみえ)

「一枝を切れば一指を切るべし」という、義経の謎かけが書かれた板を突く見得。芝翫型は下に控える妻・相模に読めるように突く「リアリティー重視」で、團十郎型は形の美を重視

## 内面追求VS全体像

「熊谷の内面描写」を重視する團十郎(だんじゅうろう)型と「物語を俯瞰する」芝翫(しかん)型があります。原作の文楽に近いのは芝翫型で、衣裳も文楽に近いものです。平山見得は、熊谷が合戦の様子を演じる「物語」で、敦盛を逃がそうとする熊谷を、敵役・平山が見とがめる場面のもの。芝翫型は扇を掲げ、團十郎型より古風で豪快。幕切れも團十郎型は幕外を一人で引っこみますが、芝翫型は舞台に全員そろった「引っぱりの見得」です。

# 得意分野もそれぞれ 主な歌舞伎の家紹介

**役者の家は、代々受け継がれて来た個性があります。それぞれ違う雰囲気を持ち、同じ演目でもその家ならではのやり方が**

成田屋

## 歌舞伎界の司祭 市川團十郎家

八代目團十郎(右)と七代目(下)の「景清」

美男で篤実な八代目は『与話情浮名横櫛』の与三郎を初演し、優美な若旦那という設定がはまり役だった。豪放磊落な父・七代目とは対照的

九代目團十郎 「寺子屋」・松王丸

「劇聖」と呼ばれた九代目は、荒事から和事、なんと女形まで幅広く演じた

### 重責もハンパない荒人神系

歌舞伎界の「宗家」。芸道の世界で最も権威を持つ家柄をこう呼びます。初代は「荒事」の創始者。初期の江戸は建築中の振興都市で、荒っぽい気風に豪快な荒事はピタリとはまりました。古来より日本の地域社会には「荒人神」といって、荒ぶる魂を持つ神が色々な力をふるう民間信仰がありました。代々の團十郎は荒人神化され、江戸の守護神となっていきます。

荒事の演技「にらみ」や雄弁術の「ツラネ」は邪気をはらう意味があり「團十郎ににらんでもらうと病気が治る」と言われました。江戸の劇壇に特別な地位を持つに至った市川家は、歌舞伎界の司祭のような存在と言えます。

名跡の重圧も計り知れません。「歌舞伎十八番」を制定した七代目と子の八代目、九代目らの活躍を経て権威はさらに高まりますが、九代目亡き後は、昭和の大スター・十一代目の登場まで、半世紀以上空位でした。

音羽屋（おとわや）

## 粋でいなせな芸風 尾上菊五郎家（おのえきくごろうけ）

### 成田屋と好一対の江戸前ブランド

團十郎とともに江戸歌舞伎の一翼をになっていました。「團菊（だんぎく）じじい」といって、明治期の名優・九代目團十郎と五代目菊五郎を何かにつけて賞賛する古老を揶揄した言葉もあるほどです。團十郎家とは対照的に『弁天小僧（べんてんこぞう）』などの世話物が得意。戦前に活躍した六代目は「六代目」と代数のみで表記される名優で、古典から新作、舞踊にいたるまで数々の型を整理確立、今なお芸の規範となっています。

「藤娘」太めの体形をカバーするため大道具の藤の花を巨大にして自らを小さく見せたのは六代目の考案。衣装も二色づかいにして細身に見えるよう工夫した。

高麗屋（こうらいや）

## 昔も今もキーマンの位置 松本幸四郎家（まつもとこうしろうけ）

### 今に伝わる「どんだけ名優!?」

市川宗家と縁が深い家。戦後に歌舞伎界の中核をなした十一代目團十郎ら三兄弟は七代目幸四郎の息子で、二代目白鸚（はくおう）、中村吉右衛門（きちえもん）らへとつながっていきます。江戸期の五代目幸四郎は「鼻高幸四郎」と呼ばれた名優で、リスペクトをこめて『伽羅先代萩（めいぼくせんだいはぎ）』の仁木弾正（にっきだんじょう）や〈すし屋〉の権太を演じる俳優は、五代目幸四郎の特徴だったホクロをつける慣習があります。

『東海道四谷怪談』などの世話物でも、冷酷な悪人を写実的に演じて人気を博した

五代目幸四郎（写楽画より）すごみの中に甘さも残る容貌

仁木弾正 妖術を使う実悪

弾正の衣裳の四つ花菱模様や三つ銀杏紋も、幸四郎ゆかりの文様

中村屋

## 江戸歌舞伎の始祖 中村勘三郎家

### サービス精神も「超復活」

江戸歌舞伎の歴史の二大キーワードが「荒事」と「猿若」。猿若は昔の道化役の名称で、物まねや猿回し、雄弁術を得意にしました。初代は初の歌舞伎の常打ち小屋となる中村座（当初は猿若座）を開き、江戸の芝居小屋は勘三郎からスタートしました。幕末には名跡を名乗る者がいなくなり、中村座も明治期に廃座に。名跡も断絶していましたが、戦後に十七代目勘三郎が名跡を譲り受けて復活。中村屋特有のサービス精神も今に受け継がれています。

初期の猿若

ひょうきんな道化役

当初はこっけい味の強い姿だった

成駒屋

## 古くからの権威と名声 中村歌右衛門家

### 五代目は閣下 六代目は女帝

数多い中村姓のうち、勘三郎系と富十郎系を除くすべての中村家のルーツです。三代目までは上方の役者で、四代目までは立役、五代目からは女形として活躍。特に明治期の五代目歌右衛門は、圧倒的なスケール感と品格で歌舞伎界トップの地位に。六代目も足が不自由ながら美貌と実力、近代性と古怪さの混じった鮮烈な個性で、戦後の大スターになりました。

六代目歌右衛門

「合邦」の玉手

青白い炎のような不倫の恋の情熱

「片はずし」という武家女性の大役もしばしば演じた

松嶋屋

## 江戸でも上方でも人気者
# 片岡仁左衛門家

### 苦労も経ながら現在に至る人気

中村鴈治郎家と並ぶ上方の雄で、女形で活躍した人も。京、大坂、江戸の「三都で人気を得る」が家のモットー。平成初めまで活躍した十三代目は上方歌舞伎の復興に身と心をつくし、七十過ぎてから開花した遅咲きの名優。誠実な人柄でも知られ特に『菅原伝授手習鑑』の菅丞相は神品と絶賛されました。最晩年は全盲となりながらも舞台に立ち続けました。

十三代目仁左衛門の「馬切り」
片岡家ゆかりの珍しい演目
役者の味を楽しむのが
眼目の一幕

山城屋　成駒家

## 上方和事の総本山
# 中村鴈治郎家
# 坂田藤十郎家

### ウルトラCのエポックメーカー

代々和事を得意とし、女形も立役もできる役者が多いのが特徴。伝説の大名跡・坂田藤十郎は、上方歌舞伎の創始者の一人の名で、近松門左衛門と組み、写実的な上方和事の芸を確立した人物。四代目藤十郎は平成期に231年ぶりに復活襲名し、近松作品の継承にも注力しました。

近松門左衛門作の『曽根崎心中』は、戦後に復活上演された演目。当時扇雀だった四代目藤十郎の遊女・お初、二代目鴈治郎の徳兵衛という親子コンビで、斬新に演じて大評判に

播磨屋

## 初代のルーツは上方に
# 中村吉右衛門家

### 代数は少ないが足跡は大きい

戦前の名優だった初代は、六代目菊五郎とともに「菊吉」と並び称されました。初代の父は明治期に活躍した上方出身の三代目中村歌六で、そこから枝分かれした後、映画俳優の萬屋錦之助や中村嘉葎雄、獅童を輩出。ちなみに獅童は三代目歌六の俳名です。

二代目吉右衛門は八代目松本幸四郎の子で、初代の養子となりました。十七、十八代目中村勘三郎とも親戚関係です。

初代吉右衛門の「熊谷陣屋」
ロダンの彫刻にもなぞらえられた形や見得の美しさ

「熊谷陣屋」「寺子屋」「盛綱陣屋」三本の記録映画を残している。

一方で世話物にもいい味を出した

大和屋

## 個性的な芸達者ぞろい
# 坂東三津五郎家

### 踊りの名人も多数輩出

舞踊「坂東流」の家元でもあります。初代は和事、実事、女形や舞踊もこなした万能スター。芸達者で話題性を持った人物が多いのが特徴。近年では「踊りの神様」と呼ばれた七代目、同様に踊りが得意で美食家として知られた八代目はフグの毒にあたって急死し、世間を驚かせました。八代目の孫の十代目も舞踊の名人で芸域も広く、映画やテレビなど多方面で活躍しました。

十代目三津五郎の舞踊「どんつく」
軽やかでひょうきんな家の芸

COLUMN

## 歌舞伎役者の階級と試験制度

歌舞伎には江戸時代以来の階級制度があり、現在の形態では「名題」「名題下」に大別されます。

江戸当時の芝居小屋には、演目を紹介するポスターのような「名題看板」が掲げられていました。これに名前が載る役者を「名題役者」と呼び、名の通った役者の目安になりました。名題も今では幹部と大幹部に分けられます。

一方、名題下は「三階さん」「大部屋さん」と呼ばれ、通行人や腰元、四天など「大勢の役」や、黒衣姿でのサポートなど、芝居を支える重要な役割を担います。

名題になるには「名題試験」を受けます。十年以上の舞台経験と関係者の推薦が必要で、御曹司の子息も受験。合格し、「名題披露」を行って初めて目立つ役柄もつきますが、合格してもあえて専門職である名題下を通す人もいます。戦後の名立師（立ち回り・タテの振り付けをつける専門職）坂東八重之助は、名題下の名優として知られる重要無形文化財保持者でした。

試験内容は、一般常識および専門知識の筆記と、舞台での実技。演目の知識や演技について問う筆記問題は大幹部（人間国宝や芸術院会員）が作成します。過去の出題例をご紹介します。

**質問：**
**①お茶と酒の飲み方の違いは？**
**②下戸と上戸の飲み方の違いは？**
**③人の会話を立ち聞きする演技では、耳で聞こうとしてはいけないとされる。では、どうしたらいいか？**

**解答：**
①お茶は一口、酒は二口で飲む。
②下戸は一気に飲んで、すぐに盃を置いて会話に移る。上戸はまず一口飲んで味わって、二口目を飲む。口から盃に近づき、会話中も盃を手から離さない。
③立ち聞きする演技では、耳で聞こうとすると、目の不自由な人のように見えるので、こめかみで聞くようにする。

**名題看板**
その日の配役を絵で描いた「大名題看板」と、各幕の小題名を示した「小名題看板」があった

名優

# 近世・近年の名優たち

## 團菊左

成田屋
九代目
## 市川團十郎（1938 ～ 1903）

現在に伝わる型を完成させた『勧進帳』の弁慶は最大の当たり役。『忠臣蔵』の由良之助や『河内山』など時代物、世話物、舞踊と芸域は幅広く、数々の功績から『劇聖』と讃えられた。史実を重視した『活暦物』と呼ばれる新作も手がける

『助六』の助六

音羽屋
五代目
## 尾上菊五郎（1844 ～ 1903）

最大の当たり役は劇作家・河竹黙阿弥が、若き日の菊五郎にあてて書いた『弁天小僧』。早くから頭角をあらわし、『河内山と直侍』の直次郎、『忠臣蔵』の勘平など、洗練された演技で見せた。『土蜘』『茨木』などを含む『新古演劇十種』も制定

『青砥稿花紅彩画』の弁天小僧

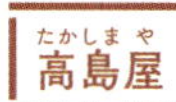

高島屋
初代
## 市川左團次（1842 ～ 1904）

『丸橋 忠弥』の忠弥、『籠釣瓶』の次郎左衛門などが当たり役。名優・四代目市川小團次の養子で、河竹黙阿弥の後押しで才能を開花。新富座の座頭を経て明治座を新築、近代的経営も行った

## 近代歌舞伎の基礎を築いた明治の三大俳優

幕末～明治期の二大名優・九代目市川團十郎、五代目尾上菊五郎の「團菊」に、初代市川左團次を加えた三傑が「團菊左」。それぞれの頭文字から一字ずつとった呼び名です。近代歌舞伎の基礎をつくり「肚芸」という心理描写を開拓した團十郎。江戸から続く粋な世話物や様式的な表現に優れた菊五郎。力強く男性的な演技が特徴で、新作も得意とした左團次。それぞれの個性で芸を競い合い、歌舞伎界を盛り上げました。

# 菊吉と十五代目羽左衛門

**音羽屋**

**六代目**
## 尾上菊五郎（1885～1949）

『忠臣蔵』の勘平、『義経千本桜』の権太と忠信、『髪結新三』や『魚屋宗五郎』など広範囲に至芸を見せた天才。『鏡獅子』など舞踊の才も卓越。写実的な表現に優れ、古典の演出も見直す。後継者が設立した『菊五郎劇団』は今に続く

『鏡獅子』の弥生

**播磨屋**

## 初代 中村吉右衛門（1886～1954）

『熊谷陣屋』の幕切れの台詞『十六年はひと昔』で劇場中を泣かせた。『盛綱陣屋』『俊寛』など重厚な役や、六代目と共演した『四千両』『髪結新三』なども語り草に。一門による「吉右衛門劇団」は六世中村歌右衛門、十七代目中村勘三郎を擁した

『熊谷陣屋』の熊谷直実

**橘屋**

**十五代目**
## 市村羽左衛門（1874～1945）

『勧進帳』の富樫は姿形と口跡の美しさで絶後の当たり役。『河内山と直侍』の直次郎や『切られ与三』『石切梶原』など白塗りの二枚目も華やかに演じた。定説では日米のハーフとされ、美貌とさっぱりとした情の深い人柄で内外から慕われた

『勧進帳』の富樫

### 現在に至る規範をつくった戦前の三大スター

團菊左なき後の大正～戦前の二大名優が「菊吉」こと六代目菊五郎と初代中村吉右衛門。「六代目」はそれだけで六代目菊五郎の事を指します。五代目菊五郎の子で九代目團十郎の薫陶を受け、数々の型を整理、今に至る芸の規範を確立。ライバルは重厚な時代物を得意とし、絶妙な台詞回しと愛嬌を備えた初代吉右衛門。そして颯爽とした美貌と名調子で人気を博した十五代目市村羽左衛門の三人が当時の大スターでした。

# 色褪せることのない輝き 戦後〜令和の名優たち

懐かしい名優から、記憶に新しいあの人この人。近年を彩った大スターたち

成田屋

十一代目 市川團十郎（1909〜1965）

## 空前絶後の大スター

七代目松本幸四郎の長男で、市川家の養子となる。九代目の死去から59年後に十一代目を襲名。甘い美貌と華のある芸風で、前名の海老蔵時代から「海老様」と呼ばれ、一大ブームを巻き起こした。当たり役は『助六』『切られ与三』『源氏物語』の光君など。襲名から3年半後、惜しくも胃がんで死去。十三代目團十郎の祖父

『与話情浮名横櫛』の与三郎

中村屋

十七代目 中村勘三郎（1909〜1988）

## 演じた役は800以上！

ギネス記録を持つ『兼ねる』役者。立役、女形、若衆、時代物、世話物、舞踊と幅広くこなし、明るい芸風とこぼれる愛嬌で観客を魅了した。六代目菊五郎と、長兄でもある初代吉右衛門の両方に師事し、六代目の長女と結婚。当たり役は『法界坊』『髪結新三』『寺子屋』の松王丸、『仮名手本忠臣蔵』の勘平、『沼津』の平作、『廓文章』の伊左衛門、『奥州安達原』の袖萩など数多い。十八代目中村勘三郎（138頁）は長男

『忠臣蔵』の勘平

音羽屋

二代目 尾上松緑（おのえしょうろく）

（1913～1989）

## 舞踊も名品の豪快な立役

七代目松本幸四郎の三男で、十一代目團十郎の弟。恰幅の良い体格で、明快な芸風が特徴。踊りの名手で、藤間流の家元でもあった。六代目菊五郎の芸を次世代へ継承し、七代目尾上梅幸らと共に菊五郎劇団を支えた。惜しくも早世した長男の初代尾上辰之助の後を追うように逝去。当たり役に『勧進帳』の弁慶、『毛抜』の粂寺弾正、『義経千本桜』のいがみの権太など。ジャンルを超えて新劇俳優とも共演し、歌舞伎役者以外の俳優にもアドバイスを惜しまなかった。現・四代目は孫

『義経千本桜』のいがみの権太

松嶋屋

十三代目 片岡仁左衛門（かたおかにざえもん）

（1903～1994）

『対面』の工藤

## 遅咲きの上方の名優

七十代後半から飛躍的に芸が深化し、最晩年は盲目となりながらも舞台に立ち続けた。温厚篤実な人柄で、戦後、私財を投じた自主公演「仁左衛門歌舞伎」で苦境に陥った関西歌舞伎を支えた。晩年期は年末に関西でテレビの特番が組まれるほど親しまれ、羽田澄子監督のドキュメンタリー映画でも面影を見ることができる。長身のスッキリした容姿で、『廓文章』の伊左衛門など、品格あるVIP役が絶品。『菅原伝授手習鑑』の菅丞相は『神品』という評価を受けた。座頭の貫禄を持つ『対面』の工藤も忘れがたい。現・十五代目は三男

## 貴公子役も絶品の女形

六代目歌右衛門と並び称される女形。ふっくらとした容姿で、濃厚な時代物を得意とした歌右衛門とは対照的にスッキリした江戸前の世話物もよくしたが、絶品だったのが『忠臣蔵』の塩冶判官などの貴公子や若衆役。特に『勧進帳』の義経は、その気品と憂いで、現在まで語り草となっている。

六代目菊五郎の養子で、その芸脈を受け継いだ。現・菊五郎は長男

音羽屋
七代目
尾上梅幸
（1915～1995）

『忠臣蔵』の塩冶判官

## 文豪にも愛された個性

古風で鷹揚、どこか浮世離れした希有な個性を持った女形。トロリと厚手な味わいで、観客を夢幻の世界に誘った。若い頃は谷崎潤一郎に魅入られたことで知られる。江戸和事の第一人者。『鬼神のお松』のような、幕末の香りのする悪婆物、『宮島のだんまり』の両性具有的な盗賊・袈裟太郎は、追随者がいないほどの絶品。『寺子屋』の千代、『明烏』の浦里なども、この人ならではの味わいの濃さだった。自身が主催した「宗十郎の会」では『女大盃』などの珍しい演目を復活させた

紀伊國屋
九代目
澤村宗十郎
（1933～2001）

『女大盃』のお初

## 戦後女形の最高峰

美貌と実力から「大成駒」と呼ばれた。初代吉右衛門の薫陶を受け、昭和末期は、名実ともに最高実力者に。先天性の左足脱臼を克服して歩けるようになったと言われる。「片はずし」から「三姫」、傾城まで幅広くこなした。戦後間もなく演じた『籠釣瓶』の八ツ橋は、その美しさと微笑で伝説的となる。『阿古屋』『十種香』の八重垣姫、『先代萩』の政岡、舞踊『京鹿子娘道成寺』『関の扉』の墨染など当たり役は数知れず。現・梅玉と魁春は養子

成駒屋
六代目
中村歌右衛門
（1917～2001）

『籠釣瓶』の八ツ橋

天王寺屋

五代目 中村富十郎（1929～2011）

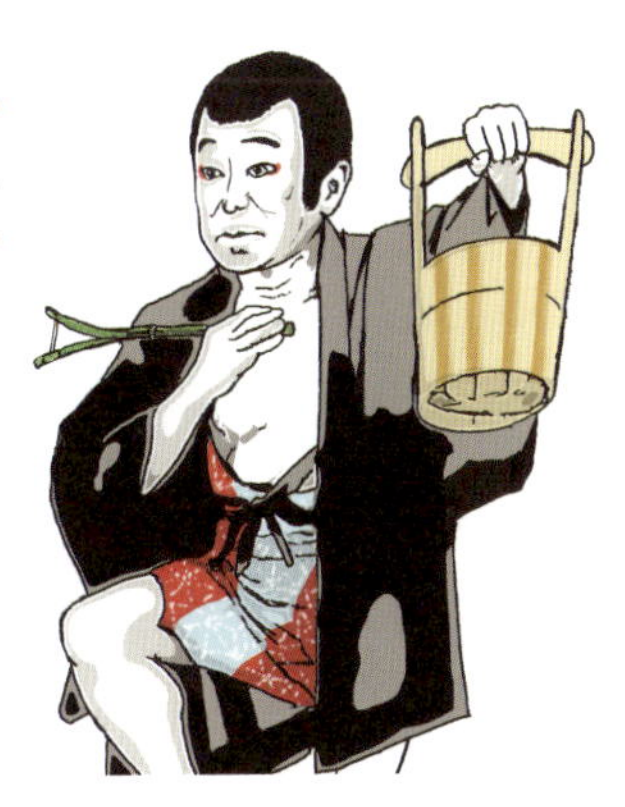

『浮かれ坊主』の源八

## 芝居上手で舞踊の天才

明晰な口跡と抜群のリズム感。キビキビとした立役で、戦後を代表する踊り上手。鶴之助時代の若年期には、扇雀時代の四代目坂田藤十郎と組み「扇鶴コンビ」として人気者に。二代目松緑に学び、六代目系の写実的な世話物にも抜群の安定感を見せた。『勧進帳』の富樫のキレの良さも忘れがたい。晩年は『忠臣蔵』の師直など、座頭級の役もスケール感たっぷりに演じた。『供奴』『浮かれ坊主』『船弁慶』など、舞踊も語り継がれる名舞台が多い。現・中村鷹之資は長男

成駒屋

七代目 中村芝翫（1928～2011）

『野崎村』のお光

## オールラウンドに活躍

浮世絵から抜け出たような面長なルックスが印象的な女形。輪郭のはっきりとした安定感のある演技で、『勧進帳』の義経、『菊畑』の虎蔵のような若衆役も似合った。『本朝廿四孝』の八重垣姫と濡衣、『娘道成寺』、『菅原伝授手習鑑』の戸浪と千代、『一本刀土俵入』のお蔦など当たり役は多い。最晩年に藤十郎、雀右衛門と共演した『野崎村』のお光は、愛らしさと哀れさで、記憶に残る名舞台。長男は現・中村福助。次男は現・中村芝翫

## 晩年も若々しかった女形

出征から復員後、映画界入りを経て歌舞伎界に復帰。関西に拠点を移した後、東京に戻ったユニークな経歴を持つ。六代目歌右衛門なき後は、事実上の立女形トップに。格調高く若々しい芸風で、舞踊でも富十郎と名コンビぶりを見せた。当たり役は『妹背山婦女庭訓』のお三輪、『金閣寺』の雪姫、『野崎村』のお染、『井伊大老』のお静の方、『鷺娘』の鷺の精、『二人椀久』の松山など。現・五代目は次男

京屋

四代目 中村雀右衛門（1920～2012）

『鷺娘』の鷺の精

中村屋

# 十八代目 中村勘三郎

（1955～2012）

『鰯売恋曳網』の猿源氏

『髪結新三』の新三

『京鹿子娘道成寺』の花子

## 今なお愛されるスター

五十代での訃報は、歌舞伎ファンと演劇界にとって、平成最大級のショックだったかも知れない。

十七代目勘三郎の長男。子役～前名の勘九郎時代から知られた存在で、時代物、世話物、立役、女形、舞踊と父ゆずりの「兼ねる役者」。和事の柔らかみと愛嬌も唯一無二だった。しっかりとした古典の地芸に加え、現在に続くコクーン歌舞伎や、ジャンルを超えた演劇人とのコラボなど、進取的な功績も大。串田和美の演出で、平成中村座NY公演も果たした。次世代を担うホープだったが、食道がんから体調を崩し、新装歌舞伎座こけら落としの直前に死去。坂東三津五郎、坂東玉三郎、片岡仁左衛門らとの名コンビも枚挙にいとまがない。特に三津五郎とは『棒しばり』『団子売』などの舞踊でも秀逸だった。当たり役に『髪結新三』『助六』の白酒売、『四谷怪談』のお岩、『夏祭浪花鑑』の団七、『鰯売恋曳網』の猿源氏、『鏡獅子』『連獅子』『高坏』など。現・勘九郎と七之助は長男と次男

成田屋
十二代目 市川團十郎（1946～2013）

## 大らかなスケール感と愛嬌

十一代目の長男で、父の早世後は独力で芸を磨く。お家芸の荒事では、無垢なスケール感と愛嬌、圧倒的な存在感で、比類のない舞台を確立。大らかな人柄でも愛され、白血病の闘病を経て舞台に復帰するも再発、惜しくも六十代で世を去った。『毛抜』『暫』『鳴神』などの歌舞伎十八番や『妹背山婦女庭訓』の鱶七など豪快な役は秀逸。十三代目は長男

『毛抜』の粂寺弾正

大和屋
十代目 坂東三津五郎（1956～2015）

『六歌仙』の喜撰法師

## 江戸の風を呼ぶ舞踊の名人

何を演じても抜群の安定感を誇った立役。特に世話物では江戸からタイムスリップしたような存在感があった。口跡の良さと身体のキレで、立役としては小柄ながらも『勧進帳』の弁慶などの荒事もこなし、舞踊も天才的。『先代萩』では荒獅子男之助と中老沖の井という、対照的な役も難なく演じて観客を唸らせた。

当たり役に『魚屋宗五郎』『蘭平物狂』の奴蘭平、『番町皿屋敷』の青山播磨、『棒しばり』『娘道成寺』『六歌仙』の喜撰など。長男は現・巳之助

## 艶めかしい上方和事の第一人者

山城屋

四代目
# 坂田藤十郎
（1931〜2020）

青年期の扇雀時代、『曽根崎心中』のお初を新鮮に演じて「扇雀ブーム」を巻き起こした。生涯のライフワークとなったお初は1400回以上演じた。上方和事の大名跡・藤十郎を73歳で襲名。女形も立役も演じ、晩年まで若々しく、『先代萩』の政岡を上方演出で演じるなど、円熟ぶりを見せる。自ら研究した近松門左衛門作品を上演する「近松座」も立ち上げた。立役としての当たり役は『廓文章』の伊左衛門、『恋飛脚大和往来』の忠兵衛、『心中天網島』の治兵衛など。長男と次男は現・鴈治郎と扇雀

『封印切』の忠兵衛

## 後世に残る精力的な功績と身体能力

澤瀉屋

二代目
# 市川猿翁
（1939〜2023）

この人がいなければ、六本木歌舞伎もコクーン歌舞伎も無かったかも知れない。三代目猿之助襲名後まもなく祖父・初代猿翁と父・三代目段四郎を亡くし、歌舞伎界の孤児となるが、進取の機運に富んだ猿之助歌舞伎を自ら企画し上演。宙乗りなどのケレンを復活した舞台は大ヒット。その流れはスーパー歌舞伎へと繋がり、既存の上演形態以外の歌舞伎公演に先鞭をつけた。
抜群の身体能力を生かし、特に『義経千本桜』狐忠信の舞台は後世に残るもの。パーキンソン症候群を発症後、演技からは遠ざかっていたが、舞踊の才も秀逸で『黒塚』の岩手や、弟・段四郎と組んだ『二人三番叟』も忘れがたい。長男は現・市川中車。現・猿之助は甥にあたる

『吉野山』の狐忠信

播磨屋

# 二代目 中村吉右衛門
（1944〜2021）

## 現代歌舞伎の最高峰

令和になってからの最大のショックは吉右衛門の訃報だろう。立役としての実力は圧巻で、特に時代物では唯一無二の存在。実父は八代目松本幸四郎で、幼少期に初代中村吉右衛門の養子となる。絶妙な台詞回しと表現力で、手がけた役も年々深化させ、圧倒的な舞台を見せ続けた。人気時代劇『鬼平犯科帳』の主人公・長谷川平蔵役でも親しまれた。

時代物の主人公すべてが当たり役と言え、『忠臣蔵』の由良之助、『熊谷陣屋』の熊谷、『勧進帳』の弁慶と富樫、『菅原伝授手習鑑』の松王丸、『吉野川』の大判事、『俊寛』など数知れず。『河内山』や『松浦の太鼓』などの世話物や新歌舞伎も愛嬌と大きさで見せた。『法界坊』の法界坊および双面、『三五大切』源五兵衛で見せた凄みは、歌舞伎の深淵を表現。実兄は現・松本白鸚。娘婿は現・尾上菊之助

『吉野川』の大判事

『双面』の法界坊の霊

『松浦の太鼓』の松浦侯

# 10年後はどれだけ変わっている？
# 注目歌舞伎役者名鑑

時代と環境が変化しても、着々と受け継がれていく芸と名跡。観客のほうも年月を超えて、それを実感していきます

成田屋（なりたや）

## 十三代目 市川團十郎白猿（いちかわだんじゅうろうはくえん）

### 圧倒的なオーラ

市川宗家の屋台骨を背負う存在。目力と圧倒的なオーラは唯一無二で、『助六（すけろく）』をはじめとする荒事の力強さと、一種の狂気を秘めたような「傾いた」雰囲気も独特。東京五輪の開会式では歌舞伎十八番の『暫（しばらく）』を世界に向けて披露した。六本木歌舞伎など新しい試みにも意欲的。『外郎売（ういろううり）』に代表される 長男・新之介（当時は堀越勸玄（ほりこしかんげん））との共演も観客を湧かせた

『暫』の
鎌倉権五郎

澤瀉家（おもだかや）

## 四代目 市川猿之助（いちかわえんのすけ）

『雷船頭（かみなりせんどう）』の女船頭

### 群を抜いた実力と企画力

キビキビした口跡とキレのある身体能力、抜群の企画力を併せ持った逸材。『ワンピース』の大成功を経てからの活躍も目覚ましく、『忠臣蔵』を再構築した『花競忠臣顔見勢（はなくらべぎしのかおみせ）』では演出も担当。高師直（こうのもろなお）役では座頭級の貫禄を見せた。その一方で『かさね』では薄幸の少女・かさねを雰囲気たっぷりに演じ、家の芸『黒塚』をはじめとする舞踊の安定感も群を抜く。『義経千本桜（よしつねせんぼんざくら）』の当たり役・狐忠信（きつねただのぶ）以外にも、典侍局（すけのつぼね）、娘お里というキャラの違う役を演じ切る実力者

澤瀉家
九代目
# 市川中車

## 厚みを増す存在感

現・猿翁の長男で、俳優から46歳で歌舞伎界入りした。玉三郎と組んだ『牡丹燈籠』では小心な伴蔵を現代的に、『赤い陣羽織』の好色なお代官はコミカルに、他にも『四谷怪談』の苦みばしった直助権兵衛、『切られ与三』の泉屋多左衛門や『荒川の佐吉』の大親分・政五郎のような風格のある役までを多彩に演じきり、歌舞伎役者としての厚みを増している

『与話浮名横櫛』の和泉屋多左衛門

音羽屋
七代目
# 尾上菊五郎

## 洗練されたいぶし銀の輝き

当たり役の『弁天小僧』は、現代歌舞伎の完成形のひとつだろう。江戸庶民を演じればピカイチで『魚屋宗五郎』『雪暮夜入谷畦道』の直次郎、『四千両』の富蔵など、登場するだけで江戸の風が吹くようだ。近年ますますいぶし銀の魅力が加わり、特に世話物は『芝浜革財布』の魚屋・政五郎の自然なたたずまいなど、右に出る人はいないだろう。一方で『助六』の白酒売のような、ふんわりした和事の味も名品

『芝浜革財布』の政五郎

音羽屋
五代目
# 尾上菊之助
（2025年5月八代目尾上菊五郎襲名予定）

## ハイブリットな強み

透明感と端正さを持つ美貌で、女形と若衆、『道成寺』などの舞踊も手に入ったもの。祖父・梅幸に面差しが似ている瞬間も。『御存鈴ヶ森』の若衆・白井権八から、近年は『切られ与三』の与三郎や『馬盥』の光秀、『義経千本桜』の三役など、立役としての芸域が広がっている。二代目吉右衛門の娘婿であり、吉右衛門逝去直後に演じた『盛綱陣屋』の盛綱は、播磨屋の芸の継承者としての存在感を印象づけた。一方で『鼠小僧次郎吉』で見せた父・菊五郎ゆずりの世話物のたたずまいも手堅い

『鼠小僧次郎吉』の稲葉幸蔵

## 陰影豊かな男ぶり

骨太な表現力と闊達な台詞回しが魅力の立役。『名月八幡祭』では、玉三郎と仁左衛門を相手に、縮屋新助の鬱屈ぶりを新鮮に演じ、『阿古屋』では岩永を人形振りで面白く、『御浜御殿綱豊卿』では一本気な富森助右衛門、『すし屋』のいがみの権太などを好演。ますます芸域を広げている

『御浜御殿綱豊卿』の富森助右衛門

音羽屋
四代目
尾上松緑

松嶋屋
十五代目
片岡仁左衛門

『義経千本桜』銀平実ハ平知盛

## 三拍子そろった美しき名優

口跡、振り、姿と三拍子そろった名優。繊細かつツボを押さえた演技と、義太夫の素養に支えられた台詞回しの自在さは、すべてがトップレベルの素晴らしさだ。『実盛物語』など白塗りの武将役を筆頭に、色悪まで当たり役は数知れず。十三代目から継承した『菅原伝授手習鑑』の菅丞相、一世一代で演じた『義経千本桜』の平知盛の迫力、36年ぶりの『桜姫東文章』では、権助と清玄の二役で、一層の充実ぶりを見せた。『河内山』ではメリハリの効いた演技で観客を魅了。その若々しさも特筆ものだ

## 八面六臂の大活躍

一般家庭の出身。端正な容姿と口跡の良さを生かし、荒事から和事、世話物から舞踊に新作、ミュージカルまで幅広く演じる。上方歌舞伎の継承者としての期待も大きい。『封印切』の忠兵衛のような和事から、『義賢最期』の義賢、『四谷怪談』の伊右衛門、『輝虎配膳』の輝虎など。硬軟幅広く演じられるのも強み

『天一坊大岡政談』の山内伊賀亮

松嶋屋
六代目
片岡愛之助

中村屋

六代目 中村勘九郎

## 期待される将来性

父・十八代目勘三郎ゆずりの華と愛嬌に加え、父とはまた違う端正さで観客を魅了。『助六』の白酒売や『鰯売恋曳網』の猿源氏などの和事で柔らかみを発揮する一方、『佃夜嵐』の神谷玄蔵の悪人ぶりも見事。三大義太夫狂言や『奥州安達原』の安倍貞任などの時代物では、しっかりとした芸の素養が生きる。長男の勘太郎と共演した『連獅子』は、芸の継承を思わせる舞台となった。「平成中村座」も弟・七之助とともに受け継ぎ、一層の活躍に期待がかかる

『天日坊』の天日坊

中村屋

二代目 中村七之助

『一條大蔵譚』のお京

## キレのある美貌と現代性

現代的で美しい容姿と、よく通る声が魅力のキレのある女形。『忠臣蔵』のお軽、『義経千本桜』の静御前や典侍局、『助六』の揚巻といった立女形級の役も見事に演じる。その一方でコクーン歌舞伎『切られの与三』では、まさかの与三郎を演じて、歌舞伎ファンをあっと言わせた。細身の身体に独特の強靭さを秘め、これからも目が離せない存在だ

成駒屋

九代目 中村福助

## 立女形のスケール

病気療養から数年ぶりに舞台復帰し、待ち望んでいた歌舞伎ファンを喜ばせた。『お江戸みやげ』の文字福など、順調に出演を増やしつつある。美貌と独特の「傾いた」センスも魅力で、六代目歌右衛門ゆずりの『籠釣瓶』の八ツ橋など、立女形の役も目に焼き付いている。姿を見られるだけで嬉しくなる存在だ

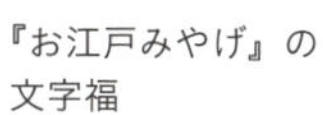

『お江戸みやげ』の文字福

成駒屋

八代目

## 中村芝翫

### ひと味ちがう線の太さ

先代までは女形のイメージだった名跡を、線の太い立役の路線に変更。『熊谷陣屋』は、一般的な團十郎型とは違う家の芸・芝翫型で演じ、古風なスケール感が映える。『絵本太功記』の光秀のような時代物の武将や『慶安太平記』の丸橋忠弥、世話物では『四谷怪談』の伊右衛門のいらつきぶり、『巷談宵宮雨』の姑息な生臭坊主・龍達など、ひと味違う面白さで見せる

『奥州安達原』の安倍宗任

萬屋

二代目

## 中村獅童

### 古風さと斬新さ

古風で端正なルックスが萬屋の血脈を思わせる。人気絵本を歌舞伎化した『あらしのよるに』では、心優しい一匹狼・ガブをキュートに演じて観客を魅了。初音ミクとの共演「超歌舞伎」など新しい試みで活躍する一方、『義経千本桜』の狐忠信や『毛抜』の粂寺弾正、『盟三五大切』の三五郎など、古典の好演も光る

『義経千本桜』の狐忠信

大和屋

五代目

## 坂東玉三郎

### 奇跡の名女形

仁左衛門同様、口跡、振り、姿と三拍子そろった名女形。美しさと地芸に加え、現代的なセンスで数々の役を再構築して見せた。仁左衛門と36年ぶりに演じた『桜姫東文章』は、濃艶さで大きな話題に。『四谷怪談』のお岩も哀れに演じて印象的だった。『吉野川』の定高のような立女形の大役から『藤娘』の愛らしい少女まで、観客を魅了する舞台はこれからも目が離せない

『桜姫東文章』の桜姫

高麗屋
十代目
松本幸四郎

## 次世代のリーダー格

端正な容姿と安定感のある演技で次世代のリーダー格。荒事、世話物、舞踊、新作、上方和事までこなせる芸域の広さ。『勧進帳』で見せる弁慶は気迫たっぷりで、『伊勢音頭』の貢のようなピントコナ（キリリとした優男）も良く似合う。コロナ禍での図夢歌舞伎や、猿之助と組む『弥次喜多』シリーズなど、新しい試みにも意欲的。叔父・吉右衛門が磨いた播磨屋の芸の継承者としても期待がかかる

『義賢最期』の木曽義賢

高麗屋
二代目
松本白鸚

『勧進帳』の弁慶

## ワル役も必見

歌舞伎を代表する立役で、近代的でリアルな人物造形が特徴的。『勧進帳』の弁慶は1100回以上の上演。『加賀鳶』の道玄や『不知火検校』などのワル役でも定評があるが、『すし屋』の権太は、田舎の不良を等身大の人物として演じて印象的だった。特にモドリになってからの述懐は、不良の末期をわかりやすく見せて好演。『魚屋宗五郎』の酔い覚めの哀感も胸を打つ

## これからの歌舞伎界を担う
# 期待の若手たち

### 音羽屋
### 二代目 尾上右近

六代目菊五郎のひ孫で、子役の頃から舞踊に定評がある。女形も立役も演じ、スーパー歌舞伎『ワンピース』のルフィなどの新作から、自主公演「研の會」、『弁天小僧』『義経千本桜』の狐忠信のような古典まで幅広く活躍。清元節（浄瑠璃）の七代目清元栄寿太夫としての顔も持つ

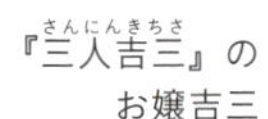
『三人吉三』の
お嬢吉三

『御所五郎蔵』の五郎蔵

### 音羽屋
### 二代目 尾上松也

端正なルックスと声を持つ若手の牽引役。『あらしのよるに』のキュートな山羊のめい、『滝の白糸』の若き法曹家・村越欣弥は熱っぽく、『義経千本桜』の鮮烈な平知盛、『御所五郎蔵』の五郎蔵、『風の谷のナウシカ』ではナウシカの師匠ユパなど、タイプの違う役を好演

『廓文章』の夕霧

### 成駒家
### 初代 中村壱太郎

たおやかな容姿とよく通る声が印象的な女形。史上最年少の16歳で『鏡獅子』、祖父・坂田藤十郎の当たり役『曽根崎心中』のお初を設定年齢と同じ19歳で演じた。松也とのコンビが印象的な『滝の白糸』の白糸、『お染の七役』など、躍進著しい上方歌舞伎期待の星

『壇浦兜軍記』の 阿古屋

### 成駒屋
### 六代目 中村児太郎

品格と美しさ、抑えた色気を持つ女形で、特に古典での活躍が光る。難役『阿古屋』を果敢に演じきり、『金閣寺』の雪姫、『鳴神』の雲絶間姫、『助六曲輪初花桜』の白玉などの大役も好演。名女形を輩出してきた成駒屋らしい王道の役柄がよく似合う

『御所五郎蔵』の傾城皐月

萬屋

### 六代目 中村時蔵

古風で美しい容姿と口跡、しっかりした地芸で、抜群の安定感を持つ若手女形のホープ。玉三郎から指導を受けた大役『阿古屋』などの女形はもちろん、『対面』の十郎や『髪結新三』の手代・忠七など、柔らかみのある若い男性役も似合う

『番町皿屋敷』の青山播磨

萬屋

### 初代 中村隼人

スッキリとした容姿で、王子様的雰囲気の二枚目。『ワンピース』のサンジとイナズマ、『新版オグリ』では猿之助とのダブルキャストをつとめる。『番町皿屋敷』の青山播磨、『三人吉三』のお坊吉三など、新作や古典での活躍も増えつつある

『番町皿屋敷』のお菊

播磨屋

### 五代目 中村米吉

透き通るような口跡と可憐さが個性的で目を引く女形。『風の谷のナウシカ』、巳之助の平右衛門と組んだ『七段目』のお軽も好演。『対面』の化粧坂の少将、『絵本太功記』の初菊など、古典での活躍ぶりも目覚ましい

『寿曽我対面』の五郎

大和屋

### 二代目 坂東巳之助

『ワンピース』の人気キャラ、ボン・クレーの怪演ぶりは神再現との評価を受けた。父・七代目坂東三津五郎ゆずりの舞踊の才は若手トップクラス。『対面』の五郎では荒事もこなし、『三人吉三』の和尚吉三、『七段目』の平右衛門なども陰影豊かに演じる

# 将来が楽しみなJr.たち

『銘作左小刀』の京人形の精

## 高麗屋

### 八代目 市川染五郎

松本幸四郎の長男で、貴公子然としたルックスも魅力。『勧進帳』の義経などで染五郎を襲名。祖父・白鸚と父との三代同時襲名で話題になった。古典のほかにも『信康』では悲劇の若武者を鮮烈に演じ、新作『図夢歌舞伎・弥次喜多』にも挑戦。舞踊『京人形』『三社祭』の悪玉など、舞踊での活躍も楽しみ

## 澤瀉屋

### 五代目 市川團子

澤瀉屋の若きホープ。猿之助の指導のもと、家の芸・舞踊『独楽』にも挑戦。『弥次喜多流離譚』では不良・五代政之助と娘・お夏の二役、同じく家の芸の舞踊『浮世風呂』のなめくじと、女形も演じ、着実に芸域を広げている。現・市川中車の長男

『弥次喜多流離譚』の五代政之助

『鼠小僧次郎吉』の三吉

## 音羽屋

### 七代目 尾上丑之助

尾上菊之助の長男。祖父は尾上菊五郎と二代目中村吉右衛門。音羽屋と播磨屋、両方の芸の継承者としても期待大。菊之助と共演した『鼠小僧次郎吉』の三吉や『盛綱陣屋』の小四郎では、達者な芝居で観客をうならせた。2025年5月、六代目尾上菊之助襲名予定

### 尾上眞秀

母は女優の寺島しのぶ。父はフランス人で日仏のハーフ。菊之助は叔父。音羽屋ゆかりの演目『魚屋宗五郎』の丁稚役で初舞台。愛らしさに加えて、よく通る声も魅力

『桜姫東文章』の吉田松若

松嶋屋

### 初代 片岡千之助

父は片岡孝太郎、祖父は仁左衛門。『桜姫東文章』の松若、『四谷怪談』のお梅など、確実に歌舞伎役者としての地歩を固めつつある。祖父と共演した『連獅子』も大きな話題に

『連獅子』の仔獅子

中村屋

### 三代目 中村勘太郎

中村勘九郎の長男。『連獅子』の仔獅子は、史上最年少の9歳11ヶ月で父と共演して話題に。中村屋四代にわたる芸脈を見せた。弟・長三郎と共に、今後の成長に期待

『三社祭』の悪玉

天王寺屋

### 初代 中村鷹之資

五代目中村富十郎の長男。父ゆずりの舞踊の才と口跡の良さに注目が集まる。妹・渡邉愛子と取組む舞踊の勉強会「翔之會」も回を重ね、大曲『船弁慶』に挑戦するなど、意欲的で頼もしい

『外郎売』の貴甘坊

成田屋

### 八代目 市川新之助

十三代目市川團十郎の長男。父と共演した『外郎売』では、早口の言い立てを見事に演じて観客を沸かせた。堂々としたたたずまいも、将来の成田屋の後継者として期待がかかる

# あの子もこの子も親戚!?<br>注目Jr.の家系を徹底解説

梨園の将来を担う市川團十郎の長男・新之助、松本幸四郎の長男・市川染五郎、現尾上菊之助の長男・現丑之助。この三人は親戚同士です。新之助の曾祖父は「海老様」と言われて人気者だった十一代目團十郎。七代目松本幸四郎の長男です。現在の梨園の系図は、この幸四郎が源流と言えます。幸四郎の次男が初代松本白鸚（八代目幸四郎）、三男が二代目尾上松緑。この三兄弟が梨園相関図を理解するキモです。

元々成田屋（市川團十郎家）と高麗屋（松本幸四郎家）は縁の深い間柄（117頁）。現・染五郎の曾祖父は初代白鸚で、その兄の十一代目團十郎が新之助の曾祖父。そして現丑之助の母方の祖父が二代目中村吉右衛門で、曾祖父は初代白鸚。よって現丑之助は、血脈芸脈ともに音羽屋と播磨屋を受け継ぐ事に。ちなみに現丑之助の叔母は女優の寺島しのぶ、染五郎の叔母は松たか子です。

さらに市川家は中村勘三郎家とも繋がりが。十七代目勘三郎と初代吉右衛門は兄弟で、吉右衛門の娘は初代白鸚に嫁ぎました。初代白鸚の父が七代目幸四郎。梨園はヨーロッパの王室のごとく、どこかで繋がっているのです。

## 成田屋・高麗屋・播磨屋 家系図

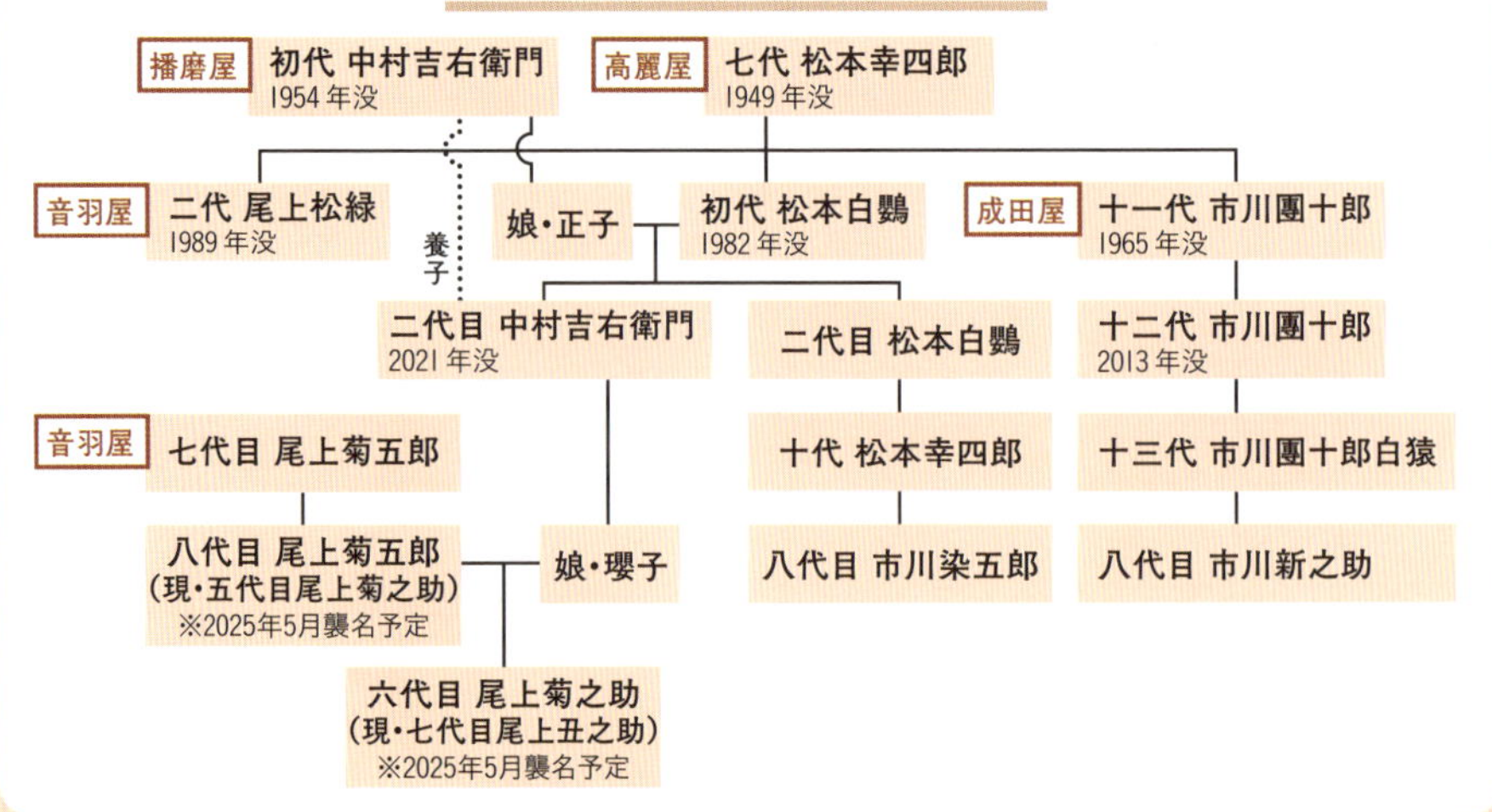

# 四章

# 押さえておきたい名作演目32選

# なぜあの人が…

事件がおきたのは師走の夜半。吉原トップの美人花魁・八ツ橋さん(年齢不詳・20代前半と推定)が、栃木県佐野市の絹商人・佐野次郎左衛門に殺害された。人払いをして二人きりで座敷に引きこもった直後、八ツ橋さんは一太刀で斬り殺されたのだ。

そもそも高級花魁は、遊郭における特別な存在だ。現代ではスーパーモデルと高級ホステスとアイドルを合わせたようなものと言えるだろう。花魁を呼ぶ客は座敷のレンタル料、スタッフに配るチップ、酒や料理代も含めると莫大な金額がかかる。花魁は遊郭のドル箱なのだが、華やかな世

# 美人花魁殺人事件の謎！

## ～籠釣瓶花街酔醒（かごつるべさとのえいざめ）～

## 運命の微笑が引き寄せた悲劇

吉原といえば、江戸一番の格式と華やかさを誇る遊郭だ。そんな不夜城の一角でおこった殺人事件の犯人は、界隈でも評判の良い実直な商人だったことが関係者に衝撃を広げている──。

魂を抜かれたように立ち尽くす次郎左衛門。いかにも朴訥なキャラだ

界の舞台裏には根深い闇が広がっていた──。

悲劇の発端をさかのぼってみよう。次郎左衛門の下男・治六さんは二人の出会いを次のように語った。

「今年の春、江戸に旦那と商いに行った帰り、はじめて吉原見物に立ち寄りました。田舎の土産話にという軽い気持ちだったんです。ちょうどそこへ花魁道中※の八ツ橋がやって来て、その豪華さ、美しさに二人ともビックリしました。すると八ツ橋が、魂を抜かれたようにボーとしている旦那に目をとめて、フッと微笑んだのです。そしたら旦那は『宿に帰るが嫌になった』と言い出して……」

※花魁道中　客から呼び出しを受けた花魁が、スタッフを大勢引き連れ、貸座敷屋まで練り歩く行列

## 温厚で大層評判の良い人柄だった

それから彼女の馴染み客となった次郎左衛門は、半年のあいだ吉原に通い続ける。顔中に醜いあばたがあったが、金払いが良く温厚な人柄で評判は良かったようだ。しょっちゅう座敷に呼ばれたという、たいこ持ちの半中さんはこう語る。

**「田舎のお客には珍しく、スマートな遊び方で、好ましく思う花魁や芸者も多うございましたが、そこは八ツ橋さん一筋でした」**

八ツ橋さんを抱える遊女屋との間では、身請け話も進んでいたという。

一方の八ツ橋さんだが、もとは武家出身で、素人時代から言い交わした仲の恋人がいた。栄之丞というその浪人の家に、たびたび出入りしていた仕立て屋・おなつさんの印象はこうだ。

**「花魁の仕送りで年中遊んで暮らすとはいい身分で、男でも女でも、ルックスは良く生まれたいものだねえ」**

かなりのイケメンである栄之丞に、八ツ橋さんはたびたび着物をあつらえたりと、心を尽くしていたらしい。

吉原遊廓関連の下働きで生活の糧を得る女性たち

もう二十年も若ければ私も…

仕立て屋のおなつさん（左）とお手伝いのおとらさん(右)栄之丞宅で話しこむ二人の会話からは、遊郭に依存して生きる女性たちの「格差社会」も透けて見える

## 事件の裏側に関わるキーパーソン

ここで事件のキーパーソンが登場する。権八という男で、両親を失った八ツ橋さんの元家来で唯一の身寄りだが、遊び人で、八ツ橋さんの関係者にも借金を重ねていた。この男が、「八ツ橋が栄之丞に内緒で、次郎左衛門に身請けされるつもりだ」というウソを栄之丞に吹きこんだ。彼女の誠意を疑った栄之丞は、次郎左衛門と縁を切るよう、権八とともに強要した。

## 周囲が一瞬で凍りついた愛想尽かし

満座の中での愛想尽かし——。次郎左衛門の座敷に呼ばれた八ツ橋さんは

**「あなたと口を聞くのが嫌でたまらない。もう遊びに来てくれるな」**

と言い放つ。凍りついたその場の様子を、居合わせた関係者らが口々に証言している。

**「私どもにも何が何だか様子がわかりませんでした」**（花魁のマネージャー役である番頭新造）

---

**「ためになるお客様にひどすぎる」**（やり手と呼ばれる遊女の監督役女性）

**「ひいきにしてくれるお客と花魁衆の仲が悪くなっては困ります」**（芸者仲間）

ドル箱の花魁と一蓮托生の関係者の困惑が見えるようだが、次郎左衛門は、じっと辛抱して、揚巻さんをなだめていたという。しかし周囲がたしなめるほど、八ツ橋さんは徐々に興奮した様子で

**「誰もこちらから来て下さいと頼まないのに、そちらが勝手に深みにはまった」**と、ヒステリック気味になる。それを聞いた次郎左衛門はこう言ったという。

---

**「田舎者のその上に、二目と見れぬ面相ゆえ、嫌われても仕方がない。が、なぜ初手から言うてはくれぬ——」**

彼の気持ちもわかると思うのは私だけだろうか。ちなみに次郎左衛門に誘われて居合わせた友人たちは

---

**「聞くと見るとは大違い。おおかたこんなことだろうと思ったが、このざまではいつもふられ通しと見える」**

と嘲笑していたという。

強要されて、やむなく愛想尽かしをした八ツ橋さんの気持ちは、いかばかりだっただろう——。

支度途中で呼ばれたため、左右がアンバランスな髪飾りが不安定な気持ちを表すかのようだ

## 去りぎわの気になる一言

身請けを断念してうなだれる次郎左衛門を尻目に、座敷を退出する八ツ橋さんの様子を語ってくれたのは、同僚花魁の九重さんだ。

「私が八ツ橋さんに『それならどうでも佐野さんを……』と問いかけると、彼女は**「わたしゃつくづく、嫌になった」**と言って、さっと障子をしめて出て行ってしまいました。少し涙ぐんでいるように見えました……」

そこで気になるのは、何が「嫌になった」かだ。彼女自身は決して次郎左衛門を嫌いではなかったらしいが、それはあくまで「客と花魁」という関係内でのこと。おそらくは、周囲の思惑に翻弄される自分の立場に自己嫌悪を感じて「嫌になった」のではないだろうか。居合わせた関係者もそれを助長してしまった――。

## 八ツ橋さんの立場を振り返る

吉原は華やかである反面、特殊な「閉じた世界」だ。狭い人間関係の中では、あっという間に噂も広まってしまう。現在の浅草の一角に位置しており、周囲は「お歯黒どぶ」と呼ばれる大溝で外界から隔絶されていた。周辺には田んぼが広がり、栄之丞の家もそこにあるが、八ツ橋の身請け話を聞いて飛んできた彼とは対照的に、遊女は自由に外出も出来ない。高級花魁といえども遊廓のシステムにがんじがらめにされた一人なのだ。

松の緑か…

縁切り直後に流れる花魁をたたえるめでたい唄が皮肉な効果だ

座敷を出て行く八ツ橋さんの様子も沈んでいたという――。

本心からでない愛想尽かしは男の顔を見ずに演じるのが歌舞伎のセオリー

美人花魁殺人事件の謎！
〜籠釣瓶花街酔醒〜

## 絶頂から突き落とされた男のプライドが悲劇に…

悄然と帰って行った次郎左衛門だが、四ヶ月後に再び吉原を訪れる。その手に、いわくつきの妖刀を忍ばせて……。調べによると、その刀に彼の父親の過去の悪行が祟ったという説が有力だが、最も印象的なのは人の心の奥深さだ。八ツ橋さんと馴染みになった頃の次郎左衛門は、友人らに「俺の全盛を見てくれ」と、得意の絶頂だったという。突き落とされた男のプライドが、とんだ悲劇を生んでしまった。

次郎左衛門に斬られる八ツ橋さん。「籠釣瓶」とは凶行に使われた妖刀の名前。斬られた後の八ツ橋さんのポーズにも歌舞伎ならではの華麗さが

### 江戸の庶民が熱狂したエンタテイメント

歌舞伎には、実際の事件をワイドショー的に劇化した作品が多くあります。ここでは、『籠釣瓶花街酔醒（かごつるべさとのえいざめ）』という歌舞伎の人気演目を週刊誌風に紹介しました。本作も、江戸時代の吉原で実際におこった殺人事件を元に創作されました。豪華な衣裳や花魁道中の様子、「愛想尽かし」の緊迫感に加え、客に遊女を割り当てる「引き付け」の儀式など、珍しい吉原の風習も再現されており、歌舞伎の面白さ、華やかさを肌で感じられる、見どころ満載の演目です。

三大名作

# フルコースでも単品でも美味

『菅原伝授手習鑑（すがわらでんじゅてならいかがみ）』
**松王丸** ⇒P.170
学問の祖・菅丞相（かんしょうじょう）（菅原道真）を、本心を隠しつつサポートする

『仮名手本忠臣蔵（かなでほんちゅうしんぐら）』
**お軽** ⇒P.163
主家倒産の遠因を作り、自らの境遇も激変する女性

『義経千本桜（よしつねせんぼんざくら）』
**いがみの権太** ⇒P.177
名誉挽回を試みるものの無駄死にする田舎のヤンキー

## 歌舞伎を知るためにまず押さえておきたい時代物の3作

「義太夫狂言（ぎだゆうきょうげん）」の中でも、特に完成度に優れた『仮名手本忠臣蔵』『菅原伝授手習鑑』『義経千本桜』の3作品を「三大名作」と呼びます。これらは長い年月をかけて練り上げられたもので、ワインにたとえるなら、熟成したフルボディーの味わいです。

これらは同じ三、四人の作家の合作で、初演は人形浄瑠璃（じょうるり）。三年の間に日本演劇史に残るヒットが生まれました。歌舞伎は最初から最後まで上演すると一日がかりになる演目が多いため、特に人気のある場面を、他の作品と組み合わせての上演が普通ですが、三大名作は「フルコースでも単品でも」満足できる内容です。

それぞれ異なるテーマが設定され、たとえば『仮名手本忠臣蔵』は「週刊誌的ゴシップ大全」。当時の大企業たる大名家の倒産に巻きこまれた人々と、末端の庶民の混乱までも描き、季節感も絶妙にからんで、史実を超えた普遍性のあるドラマに仕上がっています。

三大名作 1

歌舞伎演目の金字塔！

# 仮名手本忠臣蔵（かなでほんちゅうしんぐら）

（忠臣蔵）

大序

## 仇討ち事件の発端は女性問題だった

桃井若狭之助（もものいわかさのすけ）

顔世（かおよ）

高師直（こうのもろのお）

判官や若狭之助の衣裳は絹だが、師直は黒の麻素材。バリッとごわついた質感が役者を立派に見せる

### 正義感が裏目に出て…

見かねて間に入った桃井若狭之助は、師直にさんざんいじめられる

### 無理やり口説かれ困惑

鑑定役に呼ばれた塩冶判官の美しい妻・顔世に、幕府の執事役・高師直が付け文（ラブレター）を手渡そうと言い寄るが、顔世は困惑する

### セクハラで波乱の幕開き

赤穂浪士の仇討事件を元に創作された本作の序盤展開はセクハラとパワハラ。舞台は足利時代の鎌倉・鶴岡八幡宮。将軍・足利直義を迎えて諸大名が居並び、戦死した新田義貞の兜の鑑定が行われます。鑑定役の女・顔世は塩冶判官（えんやはんがん）（モデルは史実の浅野内匠頭（あさのたくみのかみ））の妻で、彼女に幕府の執事役・高師直（モデルは吉良上野介（きらこうずけのすけ））が言い寄ったのがすべての始まり。儀式的ムードと人間臭いドラマのギャップが見ものです。

# 横恋慕からの八つ当たりが高じて大爆発

ここで登場
〈喧嘩場〉

**役者の力量が問われる高師直役**

師直の役目は幕府の「接待指南役」。駆け引き上手であり、常に判官の反応を観察しながら挑発するなど「演じていて面白い役」と言われる

## 格調高い殿中でイチャモン

桃井若狭之助の家臣で主君を案じる加古川本蔵は、若狭之助に内緒で高師直に賄賂を渡します。

その結果、師直の態度は豹変。式典当日の殿中で、怒り心頭で師直に斬りかかろうとする若狭之助に対し、おべっかの嵐で切り抜けます。そこへ折悪しく判官が来合わせ、顔世からラブレターの返事も到着。横恋慕を婉曲に断る内容に、おさまらない師直。一転して怒りは判官へと向かい、ネチネチといじめ始めます。失恋の欲求不満に、若造の若狭之助におもねった悔しさが相まっての八つ当たりです。何も知らない判官は我慢を重ねますが、ついに堪忍袋の緒が切れて師直に斬りつけ、本蔵に抱きとめられます。短気な若狭之助とおっとりした判官の立場の逆転に意外性があり、最初は鷹揚に受け流していた判官が、徐々に怒りをつのらせていく緊張感が見ものです。師直には憎々しさだけでなく格調と老獪さ、座頭級のスケール感が必要です。判官がとどめを出来なかったため、師直は手傷を負っただけでその場を逃れます。

道行 ← 四段目

# 主君の切腹とその裏事情

ここで登場
〈道行旅路の花婿〉(落人)

春らんまんの景色の中の恋人たちの逃避行。重い場面の前後の息ぬき効果も歌舞伎ならでは
勘平
お軽

### 春爛漫の逃避行

季節の情緒も忠臣蔵の重要要素。大序から四段目までが春、五、六段目が夏、七段目が秋、八段目以降が冬という構成

ここで登場
〈城明渡し〉

### 仇討ちを心に誓う

主君・塩冶判官の切腹した刀を見つめながら、仇討ちを心に誓うシーンが見せ場。無言の演技こと「ハラ芸(73頁)」は、実事につきもの

## タイミングが人生を左右する

刃傷事件をおこした判官は切腹、塩冶家は解散し、家老の大星由良之助は城を明け渡します。

判官切腹の遠因を作ったのが、腰元・お軽と家臣・早野勘平のカップル。お軽が城を警護中の勘平に会いたさに、顔世の師直への返事を最悪のタイミングで届けてデートまでした結果、勘平は主君の一大事に間に合いませんでした。〈道行旅路花婿〉は、お軽が沈む勘平を励ましながら故郷に駆け落ちしていく舞踊劇です。

# 運命が交互に入れ違い……

……。

市川團十郎の
目ヂカラに拍手！

夜のさみしい街道で
おこった殺人！

**田舎で猟師となった**
**早野勘平**(はやのかんぺい)

松の木陰で雨宿り中の勘平が、笠を上げて顔を見せる演出が効果的。色男や美女の蓑笠(みのかさ)姿は、それだけで物語を連想させてくれる

**山賊になり果てた**
**斧定九郎**(おのさだくろう)

お軽の父を斬り殺し、着物で刃をぬぐう場面が見どころ。口にくわえた財布も左右対称になるようにするなど、「形の美」も重要な役。原作の文楽ではむさくるしい格好だったが、歌舞伎ではスッキリとした浪人姿にデザイン変更され、一躍人気の役となった

**五十両とは？**

江戸期の貨幣価値を現代に置き換えるのは困難だが、本作が作られた時代で推察すると、300万〜400万円前後だろうか

## 闇だけが知っていた真実

実家に落ち着いたお軽は、勘平の討ち入り資金を作るため、祇園の遊廓(ゆうかく)に身を売る決意をします。身売りの前金五十両を持って帰宅中のお軽の父・与市兵衛(よいちべえ)は、塩冶浪人・斧定九郎に殺されますが、偶然通りかかった勘平が闇の中で猪と間違えて定九郎を撃ち殺してしまいます。雨上がりで笠を脱いだ時の勘平の色男ぶりや、定九郎が与市兵衛から奪った金を懐に入れ、たった一言「五十両……」とつぶやく凄みが見どころ。

六段目

# 誤解が引き起こす悲劇

ここで登場
〈勘平腹切り〉

自らを悔いて切腹する勘平。いかにも色男らしい大変有名なせりふだが、原作の義太夫(文楽)にはない!

### 色男の真骨頂!勘平の名台詞

顔世の手紙を届けに来たお軽といちゃつき、主君の大事に間に合わず運命が狂ったことを後悔している。白い顔にベッタリと血の手形がつくのも歌舞伎らしい派手さ

### 勘平の演技から見る「手順」とは?

懐の財布を周囲に見られないよう、まずはお軽に茶を所望して視線をそらさせ、煙管に火をつけるふりをして、そっと懐の財布を確かめる

## 定九郎から取った財布が…

帰宅した勘平は、運びこまれた舅の遺体を見て、自分が殺したと誤解して切腹します。キーアイテムとなる血染めの財布を確認して惑乱する勘平の演技には、洗練された手順がついています。訪ねて来た勘平の元同僚は、遺体を検分して勘平の無実を告げますが、時すでに遅し。「色にふけったばっかりに」と嘆く勘平の、薄幸の色男ぶりが哀れです。お軽はその直前に、何も知らないまま遊廓に売られていきます。

# 華やかな遊廓の裏で人生の急展開

ここで登場
〈祇園一力茶屋（ぎおんいちりきぢゃや）〉

**順応性はピカイチ**

「早や廓馴れて吹く風に憂さをはらしているところ」という義太夫の詞章通り、祇園にもすっかり慣れ、酒に酔って遊廓の二階で涼んでいる様子。この後、一階で由良之助が読んでいる密書をラブレターと勘違いして盗み読む

## お軽と由良之助の出会いが…

ヒロイン・お軽が祇園に売られてほぼ一ヶ月後の初秋の頃。父が殺され、最愛の勘平も切腹したことを夢にも知らない彼女は、三回境遇が激変した女性。育った田舎を嫌い塩冶家に奉公、勘平と駆け落ち後、祇園の遊女に。今で言えば田舎の少女→洗練された都会のOL→専業主婦→ホステスという図式です。

彼女がつとめる遊廓に、客としてやって来たのが大星由良之助。師直への仇討ちの機会をうかがいながら、世間をごまかすため遊びほうけるふりをしています。

ある日、息子の大星力弥が判官の未亡人・顔世御前（かおよごぜん）から預かった仇討ちに関する密書を由良之助に届けに来ました。これを盗み読んだのが、お軽と裏切り者の斧九太夫（おのくだゆう）（斧定九郎（おのさだくろう）の父）。気づいた由良之助は、やむなくお軽を殺そうと考えましたが、お軽の兄で仇討ちに加わりたいと願う足軽の平右衛門が夫・勘平の死をお軽に告げます。お軽は絶望しますが、由良之助は九太夫を成敗する手柄を彼女に与えて助け、平右衛門を仇討ちメンバーに加えます。

九段目

# 娘を想う親心

ここで登場
〈山科閑居〉

**深編み笠と尺八を手にした虚無僧姿の本蔵**

本蔵は、息絶える前に娘の結納品として師直の屋敷の図面を大星父子に渡す。父子はさっそく討ち入りの計画を話し合う

**覚悟を決めた戸無瀬と小浪**

大星の妻に嫁入りを拒絶され、娘とともに覚悟の自死をしようとする戸無瀬の三段階の見得も見せ場

## 二組の親子のそれぞれの思惑

雪も溶かしそうなほど、熱い母性の持ち主が戸無瀬。刃傷に及んだ判官を止めた加古川本蔵の妻で、娘・小浪の継母です。小浪と大星由良之助の一子・力弥は許嫁でしたが、事件の影響で結婚話が進みません。戸無瀬は力弥を慕う小浪に付き添い、京都・山科の大星の仮宅をおとずれます。雪道を歩く姿には、何としても娘を力弥に沿わせてやろうという「押し掛け嫁入り」の覚悟がにじみ出ますが、大星の妻・お石に嫁入りを拒絶され、惑乱します。

そこへ虚無僧姿の本蔵が現れ、わざと力弥を挑発し、その槍に刺されて死にます。自分が師直に賄賂を送ったせいで判官がとばっちりを受け、さらには判官を制止した結果、師直を討てなかった責任をとったのです。実は大星父子はひそかに討ち入りの覚悟を決めており、お石が嫁入りを拒否したのも、小浪を若き未亡人にしたくなかったから。後の十一段目は討ち入り場面ですが、キモは九段目まで。テーマは仇討ちの遂行ではなく、陰にある「個々の人間ドラマ」だからです。

三大名作 2

# 菅原伝授手習鑑

## 肉親との絆と別れを描く名作

罰があたって苦労の世渡り…

**左中弁希世**

源蔵のジャマをする古株弟子。後に時平方に寝返る

**式部源蔵**

丞相に見こまれて、書のテストを受ける様子。落ちぶれていても書の腕は衰えていない

一日貸しの粗末な貸衣裳

**源蔵女房・戸浪**

奥勤め時代に丞相の奥方から賜った小袖を、祖末な普段着の上に来て参上したのは、旧恩を忘れていない証

ここで登場 〈筆法伝授〉

### 菅原道真がモデルの波乱

菅原道真といえば「天神様」としてまつられる学問の神様。本作は、政敵・藤原時平によって太宰府に流された菅丞相（菅原道真がモデル）と、所縁の三つ子の兄弟や周囲の人々をめぐる物語です。

**〈加茂堤〉**

三つ子の兄弟の梅王丸、松王丸、桜丸は、梅王は菅丞相に、松王は時平に、桜丸は皇族の斎世親王に舎人（牛車の運転手）として、仕えています。親王のお供で加茂明神に来た桜丸と妻の八重は、親王と菅丞相の娘・苅屋姫のデートを取り持ちますが、時平方の公家に見つかり、親王と姫は駆け落ちします。恥じらう親王と苅屋姫の様子を見て、思わず興奮する桜丸と八重。若いカップルの初々しさと、大人の色気が対照的です。

**〈筆法伝授〉**

菅丞相は書道の奥義を、弟子の武部源蔵に伝授します。源蔵は四年前に御法度の職場恋愛で駆け落ちし、丞相に勘当されていましたが伝授のため呼び寄せられたのです。源蔵の邪魔をする弟子・希世の道化ぶりも芝居を引き立てます。

# 自身の木像に救われる丞相

### 菅丞相の木像

丞相自らが彫った木像に魂が入って動き出し、悪人たちが丞相暗殺のため差しむけた輿に乗りこんで危機を救う。そんな奇跡がおきるほど神格化された人物

涙の玉の木槵樹…
片岡仁左衛門の丞相は神品と言われた父・十三代目とはまた違う良さがある

### 菅丞相のキャラクター

人格も学問も優れた、神に近いようなキャラのため、大変に難しい役とされる。演じる役者は毎日身を清めて舞台に立つという慣習があるほど

## 切なく悲しい娘との別れ

苅屋姫と親王のデートが発覚し、菅丞相は娘を使って皇位を狙う罪人とされます。菅丞相の叔母で苅屋姫の実母・覚寿は姫の落ち度を責めて折檻しますが、障子の中から菅丞相の声が。そこにいたのは丞相が作った自らの木像でした。

悪人らの菅丞相暗殺計略を、丞相の木像が動き出すという奇跡が救います。本人と木像との演じ分けがキモです。太宰府に流されていく丞相は、心の中で姫との永遠の別れを惜しみます。

# 勢いあふれる三つ子の争い

松王丸
「板鬢」という両側が板のように張り出された鬢
桜丸
三人そろいの童子格子の衣裳。童子格子とは格子縞の一種で、初代市川團十郎が初めて着たとされる
「つかみたて」という丸い前髪は強さを表す
梅王丸
三本の川の字のような刀は、荒事の創始・市川家を表す
バキュームホースのような極太の三重帯は力強い腹筋を表現しているとの説が。全長7メートル、重さ5キロ以上。中には綿が詰められ着付けに10分以上かかる
若々しい三つ子の兄弟
全員が若衆の証である「前髪つき」。義太夫狂言らしく、リズミカルな三味線にのった台詞まわしも聞きどころ

## 単独公演も多い人気の幕

事件の影響で浪人となった梅王丸と桜丸が、偶然道で出会います。主の悲運を嘆き合っているところに、藤原時平が吉田神社の参拝で通るとのお触れが。主の仕返しをしようとはやる二人を、時平の舎人となっている松王丸が拒みます。三人の争いで壊れた牛車の中から、天下を狙う不気味な時平が現れます。単独で上演されることも多い、様式美あふれる華やかな場で、荒事の演出で統一されているのが特徴です。

三つ子の若々しい「演技」が最大の魅力で、冒頭では力強い梅王丸と柔和な桜丸の対比がキモ。出会った二人が大きな笠をとって顔を見せるところは、いつ見てもワクワクします。上位の役者が演じる松王丸は貫禄が必要。梅王は荒事、松王は実事風、桜丸は和事風と、キャラに合った演技にも注目。衣裳は三つ子らしくそろいの「童子格子」で、下は赤い着付け、松王丸のみ白い着付けで違いを出しています。時平は魔王のような不気味な存在感が必要で、それぞれの役者の「ニン」（72頁）で見せる芝居です。

賀の祝

# 桜丸の切腹

### 三つ子の嫁たち

名前もそれぞれ夫と縁のあるもの。同年齢であるはずの三つ子なのに、嫁たちは年齢差を強調しているのが歌舞伎ならではの演出

桜丸
妻 八重
初々しい
若さ
振り袖

梅王丸妻 春

### 父子の最期の別れ

桜丸が家の奥から登場する「出」では一瞬ではかなさや優美さを印象づけねばならない

定業とあきらめて腹切り刀渡す親…

### 三兄弟のキャラ

江戸当時としては珍しかった三つ子誕生のニュースから発想された。菅丞相が兄弟を取り立てて白太夫の家を優遇したので、一家は非常に恩義を感じている

## 満ち足りた老後を襲う悲劇

早春のある日、三つ子の父・白太夫の七十の祝いに三つ子とその嫁たちが集まります。一人先に来ていた桜丸は、菅丞相失脚の遠因を作った責任をとり、切腹してしまいます。ポイントは白太夫が、もはや桜丸を助けられないと悟り、一人断腸の思いを抱えていること。松王丸と梅王丸の喧嘩で桜の木が折れても何も言わないのは、桜丸の運命を悟っているため。うららかな陽射しに暗い影がさすような悲哀の幕です。

# ハラハラ・ドキドキのクライマックス！

寺子屋の場の源蔵夫婦
「せまじきものは～」の
台詞の後のきまりのポーズ.
胸のうちは苦しく重い.

せまじきものは宮仕え…

「いずれを見ても山家（田舎）育ち」の台詞は、品のある菅秀才の身替わりはいないという意味

**悲しみに暮れる**
**源蔵の女房・戸浪**

前の場面〈寺入り〉で、源蔵の留守中に、寺子屋に入門するため母親に連れられてやって来た小太郎を受け入れた。思わぬ展開に戸惑う

**辛さをこらえる**
**武部源蔵**

寺子屋で子供たちを見回して「いずれを見ても山家（田舎）育ち」と、身替わりを選びかねていたが、上品な様子の小太郎を一目見るなり決意する

## 松王丸のかくされた本心

屈指の上演率を誇る名作の場です。武部源蔵は追われている菅丞相の一子・菅秀才を自らの寺子屋にかくまい、身替わりの子供を殺さねばならない窮地に立ちます。主のためとはいえ「せまじきものは宮仕え」という有名な台詞で、つらい心境を表現します。

そこにやって来たのが、菅秀才の検視役の一人・松王丸で、病み上がりという風体です。実は松王丸は菅秀才の身替わりにするため、わが子・小太郎を、正体を隠して寺子屋に入門させていました。本心では恩ある菅丞相に忠誠を誓いつつも、敵方としてふるまわなければならず、肉親とも縁を切り、兄弟にも世間にも「裏切り者」と見なされる孤独に耐え続けていたのです。しかし菅丞相だけは自分を信じていることを彼は知っており、病も敵をあざむく仮病です。

源蔵が奥の一間で小太郎を斬った気配に、思わずよろめいた松王丸が、源蔵の女房・戸浪にぶつかり「ぶ、無礼者め！」と大喝する場面は、悲しみと緊迫感あふれる見せ場です。

## 寺子屋

ただ一人、真実を知りながら偽証する松王丸。それを知らない源蔵も、固唾をのんで注視するという緊張感マックスの心理劇。吉右衛門、仁左衛門は松王丸も源蔵もともに一級品

衆人環視の中、身替りにさせた我が子の首に対面しても平静を装う松王丸

「持つべきものは子でござる」という血を吐くような述懐が

「無礼者め！」の大見得

怒りと悲しみが入り交じる

「五十日」という伸びっぱなしの髪のかつらが病み上がりを強調

結び目が額の左にある紫の「病鉢巻」は病中のアイコン

カッ！とにらんだあと額に手を当てるのは、病を強調するため

衣裳の「雪持ち松」の柄は、逆境に耐える松王丸を象徴

「仮病」という設定なので、刀を杖にしている

## 涙をさそう トリッキーな 心理劇

首実検で小太郎の首を菅秀才と偽証した松王丸は、役人たちが去った後、源蔵夫婦に本心を明かし、それまでの悪人キャラから善人にもどります。源蔵夫婦も小太郎の死を嘆き、松王丸夫妻も白装束姿となって小太郎の霊を弔い、一同は別れて行きます。

国の中枢の事件に巻き込まれた一般庶民が、選択肢を極端に狭められつつ、必死でより善い道を探る姿が胸を打ちます。守るべき「善の象徴」が菅丞相（かんしょうじょう）です。

三大名作
3

# 義経千本桜

## 義経をめぐる三人三様の生き方

← 渡海屋

アイヌ民族の織物アットゥシ（厚司）の上着は、水運業の人が着るお約束

**船問屋の主人・銀平**
実は平知盛。歌舞伎では侠客風にアレンジされた姿で登場する

**平知盛**
平家の大将

**いがみの権太**
田舎のゴロツキ

**狐忠信**
狐の化身

**三人の主人公**

## 船宿のかっこいい主人の正体は死んだはずの平家の武将

源平の合戦で死んだはずの平家の武将や安徳天皇が実は生きていた…という設定を元にした、源義経をめぐる人々の物語です。主人公は平知盛、いがみの権太、狐忠信の三人です。

**〈渡海屋〉**

平知盛は船宿の主人・銀平に身をやつして潜伏中。安徳天皇と乳母の典侍の局も、それぞれ銀平の娘と女房にやつしています。そこへやって来たのが、源頼朝に追われ、船で九州に落ちのびようとする義経一行。

知盛は自分の家来の相模五郎らと一芝居打って、義経への報復を企てます。白装束の鎧で幽霊にやつし、海上の義経一行を追います。

**〈大物浦〉**

知盛の奇襲は失敗します。義経は知盛の計略を見抜いていました。入水しようとする局と安徳天皇を義経が止めますが局は自害。負傷した知盛に義経は安徳天皇を守ると約束。知盛は、平清盛の野望で安徳天皇を男と偽ったため平家に罰があたったと嘆きます。

大物浦（だいもつのうら）

# 命がけの知盛ダイブ！

### 納得して死んでいく知盛

源氏に復讐心を燃やしていたが、安徳天皇を守ると言う義経の約束と「義経に感謝しているので仇に思うな」という天皇の言葉に「昨日の敵は今日の味方」と恨みも消える

戦に敗れた知盛が海に身投げし、クライマックスを迎える

この姿勢のまま碇を背後の海へ投げ込む

義太夫の伴奏の節回しも、悲壮感があふれる

綱に引き込まれるように背中からダイブ！

血の色は様式的な時代物は鮮やかで、リアルな世話物では暗めの赤になる

衣裳の血糊（ちのり）の形や位置にまで、演じる役者の好みが反映される

血糊を手の形にする役者も！

平知盛

## 壮絶な死を遂げる知盛

満身創痍の知盛が、崖から背面飛びで海にダイブします。背丈ほどもある碇つきの大綱を頭上高く持ち上げた姿勢で後ずさりして、飛びこみます。V字型に開いた足の裏が、綺麗に天井を向いたまま落ちるのが理想とされますが、タイミングを間違えると大けがをしかねない危険な大技です。知盛が海に飛びこんだ後、鎮魂のために義経方の武蔵坊弁慶（むさしぼうべんけい）が吹くほら貝の音が、静まった海に響くのが何とも哀切です。

# ゴロツキの権太とVIPの出会い

**〈小金吾討死〉の立ち回り**

「立ち回りの神様」と呼ばれ、戦前・戦後に活躍した坂東八重之助が、無声映画「雄呂血」からヒントを得て考案したとされる。捕り縄を使った大胆な動きが特徴

前髪は若衆の証だが、年かさの凜々しい若武者ぶりを見せる

世間に人鬼はないものでござります

**主馬小金吾**

主君の妻子をお供として守る若武者

## 若衆の悲劇も華麗に見せる

敵方に追われる平維盛の妻・若葉の内侍と子の六代君、お供の若衆・小金吾は、維盛の消息をたずねる旅の途中で、奈良・吉野の茶屋で休憩します。六代が木の実を拾っていると、土地のゴロツキであるいがみの権太がやって来て、親切を装って小金吾の荷物から金をだまし取ります。

若葉の内侍らに追いついた追っ手に立ち向かい、手傷を負った小金吾は、内侍たちを逃がして息絶えます。そこに偶然通りかかった権太の父親・弥左衛門は何を思ったか、小金吾の首を打ち落として持ち帰るという行為が、後の場面の大きな伏線となります。

小金吾の役柄は元服前の「若衆」ですが、実は二十歳前後の成人です。戦乱のため元服（成人の儀式）の機会を逃したという設定で、死の前に六代君に細やかな指示を与えるなど、その言動は立派な大人です。「ドンタッポ」という、ゆったりしたリズムに乗った本作の立ち回り（戦闘場面）は、坂東八重之助という昭和の名人が、工夫をこらして作りました。

すし屋

# お里の涙と権太の改心

**世にも名高い「モドリ」の場面**

怒った父親に刺された権太が、死ぬ前に家族の前で真相を打ち明ける（97頁）。二代目松本白鸚の権太はいかにも田舎の不良。仁左衛門は関西式で演じ、尾上菊五郎はいなせなムード

**屏風の中では……**

弥助を寝床に誘ったお里が「わたしゃ先に寝るぞえ」と、はずした前掛けを仕切りの屏風にかけて入る。前掛けの赤い紐が若い女性の色っぽさを感じさせる

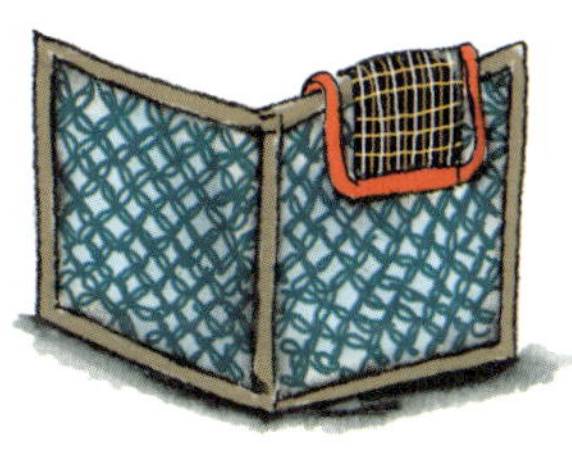

ここで登場
〈すし屋〉⇒P.094〜P.097

## VIPと関わった庶民の悲劇

すし屋の娘・お里は、下男としてかくまわれている弥助（平維盛）に恋しています。冒頭では、上品な優男の弥助と素直な田舎娘のお里の対比も見もの。

外回りから帰って来た弥助の、いかにも重たげにかついでいる天秤棒の桶を、お里が軽々と受け取ります。お里と弥助を祝言させようという父・弥左衛門の言葉を聞いているお里は「夫婦になった時の練習」だと言って、弥助に「帰宅した時の夫らしい言い方やふるまい」をレクチャーする場面が、可愛らしくもユーモラスです。そして閉店後に弥助を寝床に誘う「お月さんも寝やしゃんしたわいなあ」という積極的な台詞がとても有名です。

そこへ現れたのが小金吾と別れて一夜の宿をたずねて来た若葉の内侍と六代君。妻子と再会した弥助の「弥左衛門への義理でお里と約束した」という言葉に、お里は「情けないお情けにあずかりました」と嘆きます。維盛一家を助けようとしていた権太は無駄死にし、弥助は妻子と別れて出家して行きます。

# 花盛りの吉野山を行く静と忠信

静をにらむ忠信 狐の本性を見せる一瞬

静（しずか）

キッ!

何すんだ!

### 演出で衣裳も変化

本図の忠信の衣裳は、茄子紺の着付けにふかし鬢という鬘で、踊りも柔らかな和事風。黒の着付けや車鬢の鬘になると、荒事風の勇ましい動きになる

**狐忠信**（きつねただのぶ）

市川猿之助の忠信はマスト

腰に巻いた黄色の布（しごき）は外出中のアイコン

鼓を持つ手の形も狐のように丸くする

序盤で静と狐忠信が、義経拝領の鼓と鎧を、義経の顔と身体に見立ててうやまう

ここで登場

〈道行初音旅〉（吉野山）⇒P.069

## 女主人と狐の逃避行を描く

通称「吉野山」。義経の恋人・静が、家来の忠信とともに、兄・源頼朝に疎まれて逃避行中の義経を追って旅する舞踊劇です。実はこの忠信は、狐の化身。登場時は花道のスッポンからこつ然と現れ、狐らしい仕草を見せます。本物の武将・佐藤忠信は別の場所にいるのですが、狐忠信も本物同様に、義経と静の忠実な家来として演じます。

春爛漫の景色の中、美しい男女二人の旅姿が印象的。狐忠信が義経の鎧を据えた上に、静が義経拝領の「初音（はつね）の鼓（つづみ）」を据えて義経に見立てます。鼓は狐忠信の両親の皮で作られたもの。狐忠信は懐かしそうに鼓を抱き、親への情愛を見せますが、静がたわむれて鼓を取ろうとすると「何するんだよ！」とばかりに、キッと静を見上げます。狐忠信は静が打つ初音の鼓の音に呼ばれて現れる設定ですが、この時ばかりは主従の関係を忘れます。

静に問われて戦の様子を再現して踊り、二人を追って来た早見藤太（はやみのとうた）という滑稽な敵役を蹴散らかして幕となります。

川連法眼館（かわつらほうげんやかた）

# 親を慕う子狐の姿に涙

## 狐ならではのしかけ

館の階段からこつ然と忠信が現れたり、身軽に欄干を渡ったりと、トリッキーなしかけも満載。「狐言葉」という独特の甲高い言い回しも特徴

## 澤瀉屋（おもだかや）系の早変わり

澤瀉屋系の芝居では、しかけのトリッキーさが顕著。正体を現した狐忠信が塀の中に消えたかと思うと、一瞬で本物の忠信と入れ替わるなど変幻自在

## 音羽屋（おとわや）系の幕切

土手の木には仕掛けがあり狐忠信が上までスルスルと登る

## 変幻自在な狐の活躍

通称「四（し）の切」。獣である狐忠信の両親へのひたむきな情愛を見せることで、骨肉の争いに明け暮れる人間の残酷さを浮き彫りにします。義経がかくまわれる館に、本物の佐藤忠信と狐忠信、静がやって来るという構成です。前半の見どころは、同一役者による狐忠信と佐藤忠信の演じ分け。後半は狐忠信が、「初音の鼓」になった両親へ見せる情愛です。義経から鼓をもらい、転がして喜ぶ様子は愛らしく感動的です。

歌舞伎十八番

# 勧進帳

## 男と男！ 命がけの魂のセッション！

これで都も見納め……

源義経

**1** 女形が演じる場合も

**義経の出**

「逢坂の山隠す」という長唄の詞章で、花道の後ろを振り返り、都を見納めにする。義経は動きも少なく難しい役だが、この一瞬で薄幸の貴公子の色気と品位、柔らかさを表現

**2 読み上げ**

白紙の巻物を重々しく読みあげる弁慶の手元を、そろ〜〜と覗きこもうとする富樫。ハッと気づいた弁慶が素早く巻物を隠す、緊張感あふれる一瞬

富樫左衛門

武蔵坊弁慶

### 手に汗にぎる「ザ・正面突破」

歌舞伎十八番とは市川團十郎家のお家芸として選定された十八演目の総称で、すべて力強い荒事作品です。

なかでも屈指の上演数をほこるのが『勧進帳』。兄・頼朝に追われて東北に落ちのびようとする源義経（判官）と家来・弁慶の一行が山伏に変装して、番人・富樫の守る関所を突破する音楽劇です。能の原作をアレンジした本作の魅力は「キャラの違いが奏でる、緊迫感あふれるセッション」。命がけのミッションを背負う重厚な弁慶、これまた命がけで関所を守る理性的な富樫、薄幸の貴公子・義経というタイプの異なる三人が奏でる「音楽的リズム」が魅力です。

題名の『勧進帳』は、寺への寄付帳のこと。本物の山伏なら持っているはずの勧進帳を、富樫が弁慶に読むように命じます。弁慶はあり合わせの巻物を、さも勧進帳を読むふりをするなど、知恵と胆力で強力（荷物持ち）にやつしている義経を守ります。その心に打たれた富樫は、死を覚悟で一行を通します。

# これが「勧進帳」の見せ場だ！

## 4 呼び止め

いったん通行を許した富樫が、番卒のチクリで本物の義経一行と睨み「それなる強力～、止まれとこそ！」と呼び止め、事態は急転

## 3 山伏問答

富樫が弁慶に山伏の専門知識をたずね、本物かどうかを試す。たたみかけるような富樫と重厚な弁慶の台詞の応酬が徐々に盛り上がり、白熱のセッション状態に！

## 5 詰め寄り

大ピンチの弁慶チームと富樫チームが一触即発！互いにジリジリと詰め寄る。弁慶は、はやる一同を抑え、音楽的にも最高に盛り上がる場面

## 6 判官御手を取り給い

弁慶はとっさの機転で「お前がどんくさいから怪しまれたのだ」と、義経を打ちすえる。そこまでして主君を思う心に感じ入った富樫は通行を許す。危機が去った後、泣いて謝る弁慶を慰める判官の優しい形に注目

義経に平伏して謝罪する
バッシーン！と扇を
下にたたき
つける動き
に気持ち
が表れる

## 7 戦物語＋延年の舞

二年間、各地を転戦してきた義経一行。海上の戦や、雪中行軍の苦難の記憶を、三味線のリズムに乗って弁慶が再現ドラマ風に演じる。戻って来た富樫が非礼をわびて酒をふるまう。弁慶は酔った雰囲気で舞いながら、義経一行に早く逃れるよう、そっと合図する

歌舞伎十八番

# 暫

## 正義感に溢れたおそるべき「坊や」

**歌舞伎のダイナミックな美学が集結！**

『暫』は、江戸の顔見世に欠かせなかった演目で、豪快な演技に洗練された演出、美しい色彩は一年の邪気を払うのにふさわしい。主人公が舞台の中央でする見得も絵画的な美しさ

**独特の装備にも注目！**

巨大な装備にも、荒事ならではの特徴が満載

呪力を宿すといわれる「力紙」

前髪付きの鬘は少年の証。前髪は本来は真ん中が割れているが、分け目がわりに櫛を縦に挿す。これを「わり櫛」という

市川家の定紋である三升回が衣装や刀のつばにも見られる

結び目の先端や輪をピンとはね上げている「はねだすき」

最強のスーパーマンの隈取り「筋隈」

上の衣裳だけで5キロの重さ

鎌倉権五郎景政

黒塗りの「大太刀」長さ2メートルで歌舞伎最長

## 爽快な勧善懲悪物語

善良な人々のピンチに「しばらく〜！」と駆けつけたヒーローが、悪人を蹴散らして大活躍！

荒事の演技は「子供の心で演ずべし」という口伝がありますが、この主人公も十代の少年です。古来より日本には幼い者に神聖な力が宿るという信仰があり「坊にくだせえ、手ぇ手ぇします」という子供っぽい台詞も楽しく、鼻息で敵方の奴たちが奴凧のように飛んで行ったり、素朴で大らかなユーモアも満載です。

歌舞伎十八番

# 毛抜（けぬき）

## 歌舞伎界一のユニークなヒーロー

### おおらかに見えて、冴えた推理を展開

眉間に皺を寄せた人物が多い歌舞伎には珍しいタイプのキャラ。長らく上演が途絶えていたが、明治期に二代目市川左團次（いちかわさだんじ）が復活し、大らかな古劇の魅力を存分に引き出した



粂寺弾正（くめでらだんじょう）

市川團十郎（だんじゅうろう）家が演じる時は、この寿の海老模様の衣裳が定番。十一代目團十郎が江戸期の七代目團十郎の役者絵を参考に作った

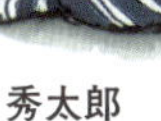

秀太郎

女性のような長いたもとは若衆の特徴。江戸時代の「若衆方」という美青年の役柄の名残り

白の着物に碁盤目（ごばんめ）模様の裃（かみしも）は二代目左團次がリニューアルした時以来のもの

踊りだす誇張された毛抜き。磁石との関連を弾正が見抜く

## 天井の磁石で毛抜が踊る!?

男も女も口説く侍・粂寺弾正が、公家の屋敷の怪事件を解決する物語です。弾正の主君と婚約中の姫の髪が逆立ち、巨大な毛抜が舞台で踊るという奇抜な内容にも増して面白いのが弾正のキャラ。豪放で心優しく、頭が良くて頼れるタフガイでありながら、好色でお茶目です。若衆に抱きついたり、腰元に大真面目に言い寄ったあげく叱られて、観客に向かい「近頃面目次第もござりません」と謝るなど愛嬌たっぷりです。

歌舞伎十八番

# 助六由縁江戸桜（助六）

## 絶賛俺様大江戸ゴージャス喧嘩祭り

### 花の吉原へタイムスリップ

江戸一番のモテ男で歌舞伎界一の俺様祭りが本作の主人公・助六です。親の敵討ちと、お家再興のために友切丸という刀を探し求めて吉原に通い、相手かまわず喧嘩をふっかけては刀を抜かせています。

恋人は吉原一のスーパー花魁・揚巻。彼女に惚れてやってくるお大尽・髭の意休こそ、友切丸の持ち主でした。登場人物すべてがキャラが立って誇り高く、江戸っ子の勢い満点の祝祭劇です。

**演奏にも伝統アリ**

市川團十郎家が演じる時は「河東節」という江戸浄瑠璃がご贔屓の旦那衆によって演奏された。現在は「十寸見会」という一派に伝承され、裃姿の口上役が吉原の格子内に控える演奏者に平伏して挨拶する

衣裳に使う鉢巻き、下駄、傘は、それぞれ魚河岸、吉原、蔵前から贈られるしきたりだった。江戸当時、大金の動くこれらの場所は歌舞伎の一大パトロンで、今も上演時には魚河岸から鉢巻きが贈られる

**助六**
**（実ハ曽我五郎時致）**
市川團十郎の本役

**揚巻**

「これからが悪態の初音」と打ち掛けを脱ぐ

**揚巻の見せ場**

助六の悪口を言う意休に返す「悪態」が見せ場。助六と意休を較べて「たとえて言わば雪と墨。硯の海も鳴戸の海も 海という字はひとつでも 深いと浅いは客と間夫、間夫がなければ女郎は闇、暗がりで見てもお前と助六さん、取り違えてよいものかいなあ」と高笑い。墨→硯→海→深い→闇→暗がりの連想ゲーム

# 助六の「俺様紹介」

「出端(では)」と呼ばれる花道の登場時は、数々の美しいポーズで見せる重要なシーン。「語り」と呼ばれる動きで、助六の自己紹介ならぬ「俺様紹介」が見どころ

**1**

「この鉢巻きは過ぎし頃 ゆかりの筋のむらさきも」鉢巻きを指さし、敬うしぐさ。これはその昔、役者と大奥女性のスキャンダル「絵島生島事件(えじまいくしまじけん)」の絵島から二代目團十郎がもらった袱紗を、鉢巻きにした逸話を表現

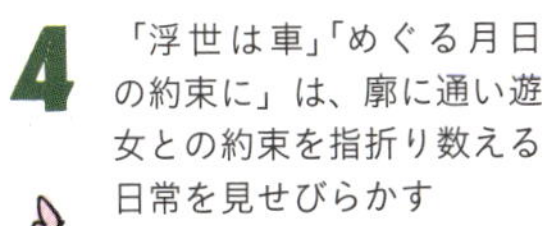

**2**

「松のはけ先 すきびたい」はけ先は髷、すきびたいは月代(額のそり跡)。美しく整った頭を上げて得意満面

**3**

「堤八丁風誘う 目当ての柳 風の雪 傘につもりし山間は 富士と筑波のかざし草」は吉原に向かって日本堤という土手を歩く様子。目当ての柳は、吉原大門にあった柳。江戸は富士山と筑波山の間にあり、両方の山を見渡して、江戸っ子の誇りでご満悦な様子を見せる

**4**

「浮世は車」「めぐる月日の約束に」は、廓に通い遊女との約束を指折り数える日常を見せびらかす

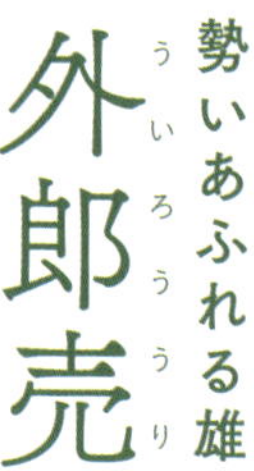


# 外郎売（ういろううり）

## 勢いあふれる雄弁術

**立て板に水のツラネ**

リズミカルな言い立ての長さは4分に及ぶ！工夫をこらした様々な語呂合わせが登場

「外郎売」の言い立て

武具馬具
武具馬具
三武具馬具

小田原名物の外郎は喉や滑舌に効くとされた。現在も当地で販売されている

1980年に十二代目市川團十郎が復活させた作品。市川家の跡取りが「貫甘坊（きかんぼう）」の役名で、初舞台などで演じる事でも有名

### おなじみの早口言葉

早口言葉で有名な「武具、馬具、武具、馬具、三武具馬具、合わせて武具、馬具、六武具馬具」は本作の台詞です。この長い長い言い立て（雄弁術）を披露するのは曽我五郎（そがのごろう）という若武者。大磯の遊郭で宴会中の大名・工藤祐経（くどうすけつね）を、父の仇として狙う五郎は、外郎売に身をやつして近づきます。外郎とは中国伝来の薬で、部下たちや遊女らと酒宴中の工藤は、五郎の売り声に興味を引かれて招き入れ、言い立てを所望します。大勢が居並ぶ前で薬の由来や効能を、早口でよどみなく語り聞かせた五郎は、皆を感嘆させます。この言い立ては「ツラネ」と呼ばれる荒事（あらごと）演出の一種。流れるような言葉の勢いで厄を払うとされました。茶坊主の珍斎も外郎を飲みますが、うまく早口が言えないのもご愛嬌。仇討ちにはやる五郎でしたが、その心意気に感銘を受けた工藤は、大事な狩猟イベントの後で潔く討たれようと約束。貫禄ある工藤も座頭級の役で、『対面』（56頁）の別バージョンと言える本作も、歌舞伎独特の祝祭劇です。

歌舞伎十八番

# 矢の根

新春を盛り上げる古風な祝祭劇

初演は二代目
市川團十郎が
手がけた正月狂言
大ヒットで五月まで
ロングラン！

### 茶目っ気にも注目

「田作りかきなます、矢立ての酢ごぼう〜」から始まるおせち料理づくしの台詞や、挨拶に来た太夫に「はやばやとの出語りご大儀に存じます。ささ奥へ、祝いましょ」と嬉しそうに誘う無邪気さも楽しい

あふれる絵画美を感じる衣装の赤は、血気盛んな荒事の象徴。豪快な見得や、富士山や梅の舞台装置と相まって祝祭感満点

正月に
矢を研ぐ
幕府の
研ぎ物師
の儀式を
取り入れた
とされる

荒事の勢いを感じる親指の力強い反りに注目。手足も寝ている時でさえピンと上がっているほど、生気がみなぎっている

### 勇壮な音楽性

大薩摩と呼ばれる三味線の力強い伴奏と、五郎の台詞の掛け合いも勇壮

## 大らかでユーモラスな五郎

新春のめでたさが詰まった芝居。正月に父の仇を討とうと、大きな矢を研ぐ曽我五郎。そこへ大薩摩の太夫が、年始のあいさつに宝船の絵を持参します。絵を枕の下にして寝ていると、兄・十郎が夢に現れ「敵の工藤に捕らえられた」と告げるので、通りがかりの馬子から馬を奪い、大根を振り上げて救出に向かいます。「荒事は子供のように演ずべし」という口伝がありますが、その形を最も伝える古風な大らかさです。

時代物

# 一谷嫩軍記

## 主人公と観客だけが共有するスリリングな心理劇

ここで登場
〈陣門・組打〉

熊谷直実

納得の上で平敦盛の身替りとなっているが、実は熊谷直実の長男・小次郎

**実子を手にかける悲哀**

平家方の貴公子・敦盛（実は実子の小次郎）の首をはねようとする熊谷直実。表面上はあくまで身分の高い敦盛として丁重に扱う

### 極限まで狭められた道

「世の無常」がテーマ。源氏の武将・熊谷直実が主君・源義経の命で、一子・小次郎を平敦盛の身代わりにする物語。設定を知ると見方が変わる芝居の代表です。

**〈陣門・組打〉**

舞台は戦の最中で、身代わりがばれると一大事。熊谷親子は納得の上で、味方をもあざむいている設定。熊谷は苦渋を隠し、あくまでも若い貴公子・敦盛を手にかけることをあわれむよう演じます。敦盛を組み敷いた後「ひとまずここを落ちたまえ」と逃亡をすすめる熊谷。その後やむなく敦盛の首を打った後にあげる勝どきの声は悲痛です。単に身代わりを暗示する演技ではなく、戦で若い命が翻弄されるのを惜しむ熊谷の無念さが、重なって見えれば理想的です。

**〈熊谷陣屋〉**

陣地に戻った熊谷が見るのは、桜の枝を切ることを禁じたお触れの札。「一枝を切らば一指を切るべし」という文面は、敦盛を助けるために熊谷の一子を犠牲にせよという義経の謎かけでした。

熊谷陣屋

# 子と親を巡る運命の歯車

### 母親同士のつながり

熊谷と相模は、ご法度の職場恋愛の末に駆け落ちした過去がある。二人のピンチを救った藤の方が、その時に身ごもっていたのが敦盛だった。首が小次郎だと知り涙にくれる相模の演技が痛ましい

身がわりにした我が子の首の入った桶を持ち首実検にのぞむ熊谷

親子の鳩が向き合った「鳩八」の紋

小次郎母

敦盛母

**熊谷直実**

中村吉右衛門と中村芝翫は熊谷ゆかりの役者。それぞれ違う演出で見せる

夢だ、夢だ…

戦乱を表す遠寄せの音に笠で耳をふさぐようによろめきながら立ち去って行く

### 切ないラストシーン

最後に一人出家して去って行く熊谷。「十六年はひと昔。夢だ、夢だ」という台詞が有名。十六年は愛する小次郎と暮らした年月

## 武将の人生もまた夢だった

実は敦盛は後白河法皇の子で、死なせることができない存在でした。熊谷以外の全員が「死んだのは敦盛」と信じている状況がスリリング。ちなみに陣屋の幕の紋「鳩八」は向き合う親子の鳩で、悲しくも効果的な工夫です。陣屋に小次郎の母・相模、敦盛の母・藤の方、義経が揃い、熊谷は小次郎の首を敦盛として差し出します。驚愕する二人の母。義経とて、運命の歯車からは逃れられないという背景が印象的です。

時代物

# 妹背山婦女庭訓〈三笠山御殿〉

（妹背山）

美少女の血が意味するものは？

## アニメ的古代ロマン

「壮大なファンタジー」が本作の魅力。大化の改新の前が題材で、この場面は天下を狙う悪人・蘇我入鹿の野望を阻止せんとする人々にまつわる物語。その御殿は不気味な入鹿を筆頭に、妖しげな人物ばかり。そんな魔窟に大胆不敵な勇者が乗りこみ、後半では可憐な美少女も迷いこむ、現代の映画やゲームに通じる世界観です。

前半では藤原鎌足の腹心の部下が、漁師の鱶七と名乗って入鹿と対面します。

キモは鱶七のキャラで、一升徳利を無造作にぶら下げ、首には手ぬぐい、バサバサした長袴姿でズカズカと登場。その言動も、典雅な御殿に全く似つかわしくない、田舎じみた荒々しさ。誰もが怖れる入鹿に対しても遠慮なく渡り合い、鎌足の事も「鎌どん」と無造作に呼びます。

鱶七は荒事的な役ですが、頭も良いのが、この手の人物のお約束。官女が運んで来た酒を怪しんだ鱶七が、庭先の菊にかけると、たちまちしおれます。毒酒と悟り、酒器を欄干につく見得も見せ場です。

### 立役が演じる官女たち

通称「いじめの官女」。御殿の官女たちは欲求不満を持て余している設定で、鱶七にあけすけな物言いでからみ、美少女・お三輪をいじめる。強さを出すため全員立役が演じる決まりで、ゴツさ満点

ここで登場
〈三笠山御殿〉
（御殿）

やっぱり！

毒酒をかけるとたちまちしおれる菊の花のしかけも秀逸

漁師の鱶七
（実ハ金輪五郎）

弁慶格子というブロックチェックは強い性格の人間が着る模様。〈すし屋〉（94〜97頁、177頁）のいがみの権太も同様

紐

茎の中の紐を引くとしおれる

三笠山御殿

# 自らの血で愛しい男を救う

**お三輪**

可憐な美少女が激しい嫉妬で別人のようになった後、想う人のために喜んで死んで行くという、見せ場たっぷりの役

### 若い女性の血＝生命力？

ここでは「疑着の相（嫉妬の形相）」の女性の血が悪人征伐に効くという設定だが、歌舞伎ではうら若い女性の血を生命力の源と解釈することが多い。『摂州合邦辻』も、身を犠牲にして継子を助ける話で、いずれも若さゆえの狂的な熱情がそうさせるのだ

妖気ただよう「公家荒れ」という大悪人の隈取り

「王子」というかつら。金閣寺の松永大膳同様、色気もある大悪人のヘアスタイル

胸の龍の刺繍は、本来なら皇帝だけがつけられるもの

**蘇我入鹿**

### 入鹿の役柄

「公家悪」という不気味な巨悪。『菅原伝授手習鑑』の藤原時平と同様に、皇位を奪い国家を意のままにしようとする身分の高い公家の役。超人的な力を持ち、チラリと見える真っ赤な舌も気味悪さを強調

## 魔窟に迷いこむ美少女

杉酒屋の娘・お三輪は、入鹿討伐のため庶民に身をやつしている求女（実は鎌足の息子）に恋をします。御殿に潜入中の求女の後を追って来たお三輪は、官女たちにいじめられ、求女と入鹿の妹の婚礼を知ります。激しい嫉妬の形相となったお三輪が、鱶七の刃で流した血は、入鹿討伐に必要なものでした。入鹿は、その母親が牝鹿の血を飲んで身ごもった存在。自然の摂理に反した入鹿には、娘のパワーが有効でした。

世話物

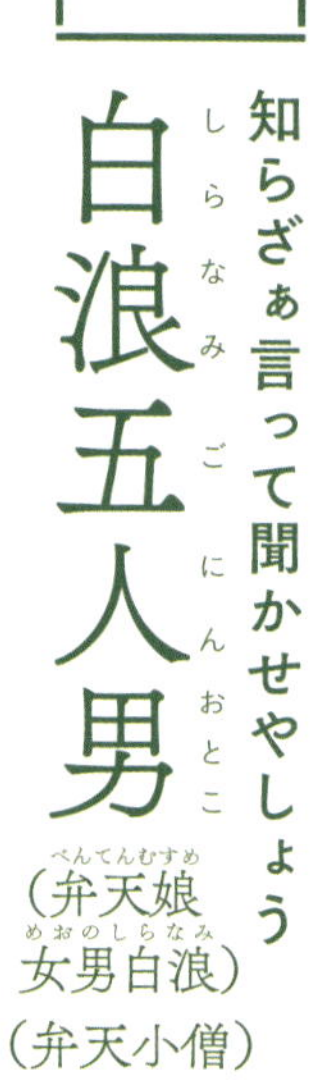

# 白浪五人男（弁天娘女男白浪）（弁天小僧）

## 知らざぁ言って聞かせやしょう

浜松屋

ここで登場
〈浜松屋〉

**反物の見せ方にもこだわりが**
巻き口を客席側に向けた背景の反物は、実際の見え方とは異なるが、このほうが雰囲気が出る

知らざぁ言って聞かせやしょう

**武家娘から悪党に戻る**
かんざしが落ちて弁天が頭を上げると、それまでの娘らしさはかき消えている。着物をまくって悪事を自慢する弁天の煙管の扱いにも、崩れた悪党らしさが出る

弁天小僧

## 娘から男へ鮮やかな変身！

美しい武家娘が、いきなり男に変わり、自分の悪事をひけらかす。まるで春の白昼夢のような本作は、美少年盗賊の弁天小僧と、その一味を巡る物語です。

**〈浜松屋〉**

弁天小僧と南郷力丸は、武家娘と若党に変装して、呉服商・浜松屋をゆすりに行きます。たまたま居合わせた侍に変装を見抜かれた弁天らは、開き直って正体を表します。侍は実は盗賊の首領・日本駄右衛門で、一味はグルでした。

細部まで繊細な工夫がこらされた作品です。男と疑われた弁天の、しおらしくうつむいていた頭から、ポトリとかんざしが落ち、顔を上げると顔つきが変わっています。見せ場のきっかけを作るかんざしは、落ちやすいよう房が長めに作られています。女らしい声がガラリと変わって「知らざぁ言って〜」で始まる有名な台詞は、江ノ島で観光客相手にゲイボーイをしていた弁天が、賽銭泥棒で追い出された後、ゲイの男と組み寄って来た男を恐喝。十七、八歳で名うての悪党になったという内容です。

## 稲瀬川勢揃い（いなせがわせいぞろ い）

# 五人それぞれの音楽と衣裳

### 五人男の揃い踏み！

追いつめられた弁天をはじめとする五人の盗賊が、揃いの衣裳で「つらね」と呼ばれる自己紹介をする場面。その様子は戦隊ヒーローの登場シーンそっくり

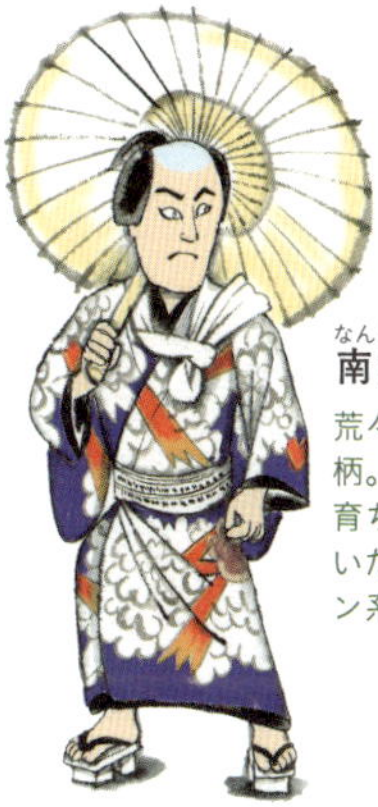

**南郷力丸**（なんごうりきまる）

荒々しい稲妻と雷獣の柄。漁師の息子で、浜育ちの船盗人。首に巻いた手ぬぐいも「ガテン系」気質の象徴

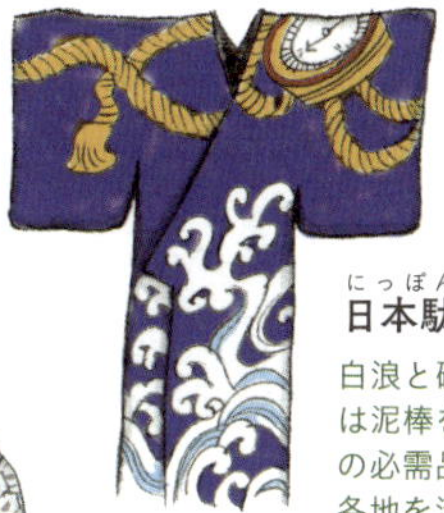

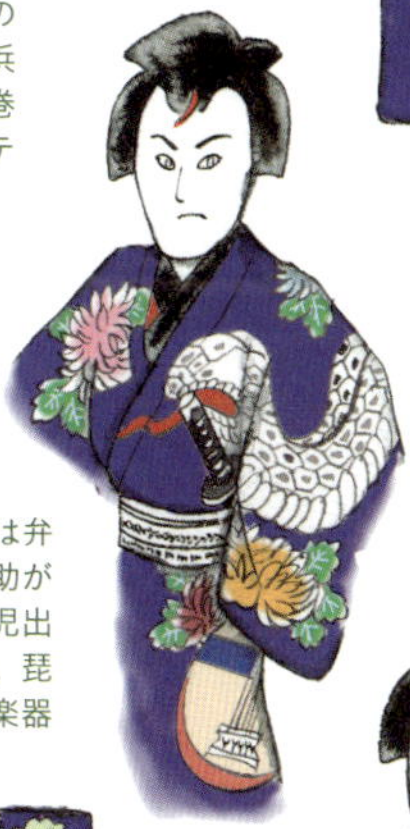

**日本駄右衛門**（にっぽんだえもん）

白浪と磁石の柄。白浪は泥棒を示す隠語。旅の必需品・方位磁石は、各地を流浪して盗みをしてきた人生を表す

**弁天小僧菊之助**（べんてんこぞうきくのすけ）

菊と白蛇の柄。白蛇は弁財天の神使で、菊之助が江ノ島・岩本院の稚児出身であることを示す。琵琶も弁財天ゆかりの楽器

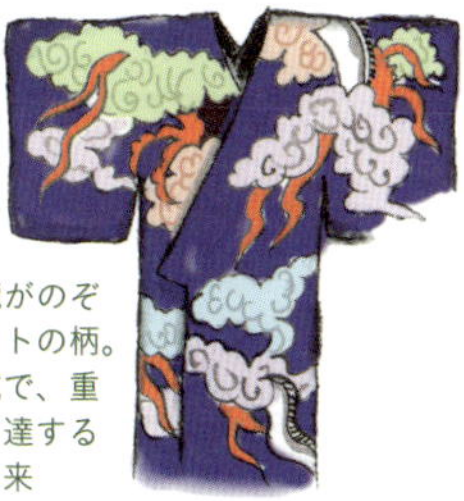

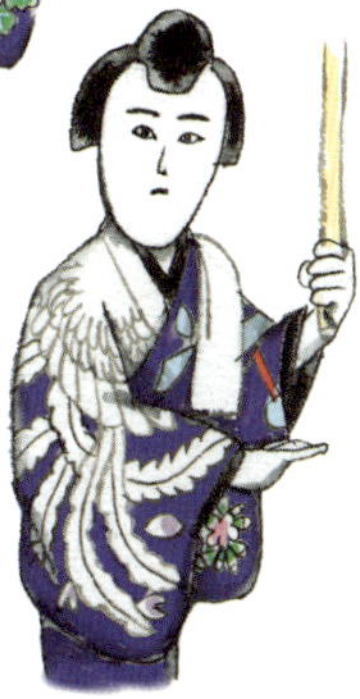

**赤星十三郎**（あかぼしじゅうざぶろう）

暁をつげる鶏と空に消えゆく星の柄。武家小姓出身の優美な美青年で、盗賊に転落し自らの末路を覚悟した「今日ぞ命の明け方に消ゆる間近き星月夜」の台詞から採用。傘の持ち方も優しげ

**忠信利平**（ただのぶりへい）

雲間から暴れ龍がのぞく暴走族テイストの柄。神出鬼没の盗賊で、重ねた悪事は雲に達するという台詞に由来

## まるで戦隊ヒーロー？

花道に登場する五人の盗賊には、各自のテーマ曲があります。浜育ちの南郷力丸は荒っぽく響くコミカルな鳴物に「男なりせし初桜～」という男くさい詞章。弁天小僧は粋で華やかな曲調で、「白浪やここに寄するや江の島の～」の詞章は、稚児上がりの出自を表します。日本駄右衛門は大太鼓入りで、首領らしく悠然と。忠信利平は鼓入りで、同じ名を持つ『義経千本桜（よしつねせんぼんざくら）』の狐忠信が鼓と縁が深いことの見立てです。

世話物

ここで登場
〈大川端（おおかわばた）〉

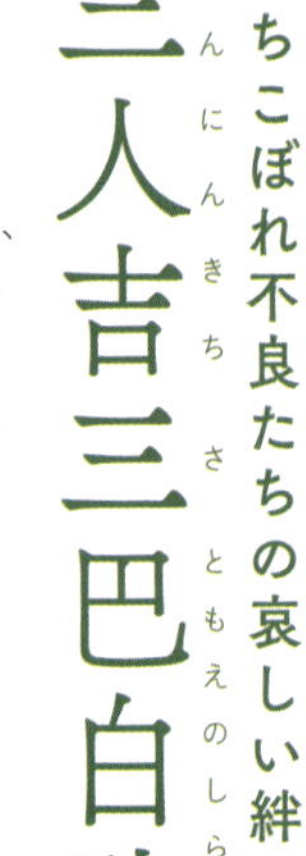

落ちこぼれ不良たちの哀しい絆

# 三人吉三巴白浪（さんにんきちさともえのしらなみ）

（三人吉三）

**川端での運命の出会い**
隅田川のほとりで三人が出会う場面で、独立して演じられることも多い。ある要因で不条理な運命を背負わされる世の中の構図を、作者は「親の因果」という、わかりやすい形で表現した

**和尚吉三（おしょうきちさ）**
一番格上の役。過去に出家したことがあるのが名の由来

**お坊吉三（ぼうきちさ）**
元武家のお坊っちゃま。お家再興のため、過去に和尚の父に盗まれた刀を探しているが、それとは知らずに和尚の父を殺す

**お嬢吉三（じょうきちさ）**
街娼になっている和尚の妹から、それとは知らず百両を奪う

初演時の和尚は幕末の名優・市川小團次。お嬢役の岩井粂三郎（後の半四郎）もスターに。お坊役の河原崎権十郎は、劇聖と呼ばれた九代目市川團十郎となる

## 親の因果で狂わせられた人生

社会から落ちこぼれた三人の不良。同じ吉三郎という名前を持つ盗賊仲間という設定で、和尚吉三はワイルドなアニキ系、お坊吉三は浪人崩れ、お嬢吉三は女装の美形です。都会の底辺で刹那的に生きる若者たちが、偶然の出会いをきっかけに、義兄弟の契りを結びます。今どきなら繁華街の裏でたむろう不良グループというところです。

そこに絡むのが「どうしようもない因果」。過去に和尚の父親がお宝の刀を盗んだことが原因で、お坊の家は破滅。一方、お嬢の父は、和尚の父が捨てた子供を拾って育てていたという意外な事実。それらが発端で、本人たちも知らない因果が複雑に絡み、三人を追いこんでいきます。その象徴が、芝居の冒頭でお嬢が売春婦から奪った百両。お嬢は知りませんでしたが、それは前述の盗まれた刀に関係する金で、めぐりめぐって三人の運命は加速度的に狂っていきます。幕末の不安な世相を背景に、和尚の妹と弟の近親相姦の因果も絡み、極彩色の闇を見るようです。

大川端

# お嬢吉三の名台詞「こいつは春から縁起がいいわえ」

月も朧(おぼろ)に白魚の 篝(かがり)もかすむ春の空 冷てえ風もほろ酔いに 心持ちよくうかうかと 浮かれがらすのただ一羽 ねぐらに帰る川端で 棹のしずくか濡れ手で粟 思いがけなく手に入る百両 ほんに今夜は節分か 西の海より 川の中 落ちた夜鷹は厄落とし 豆だくさんに一文の 銭と違って金包み こいつは春から縁起がいいわえ

夜の隅田川で杭に足をかけての厄払いの台詞はあまりに有名 両国橋北岸が舞台

お嬢吉三

お嬢吉三が夜鷹(よたか)(街頭で客を引く売春婦)を川に蹴落とし、百両を奪う冒頭の名場面

## 「月は朧に〜の」厄払いの名調子

七五調の名台詞！節分の月夜、お嬢吉三が夜鷹を隅田川に突き落とす場面。暗い川を見こみながらの「厄払い」と言われるこの台詞には、早春の江戸の情景が詰まっています。現在の暦では二月末から三月はじめ。寒さがゆるみ始め、川からの水蒸気が空をおぼろにかすませる季節です。その頃の名物が東京湾の白魚漁で、月の下で船の篝火(かがりび)もかすんで見えます。「浮かれがらす」はお嬢自身のこと。「濡れ手に粟」の粟は、川面の「泡」とかけています。

当時の節分は「おん厄払いましょう」と呼びながら、町を回って厄払いをする門付けがいて、人々は自分の年の数と同数の豆と一文銭を紙に包み、門付けに与える習慣がありました。それゆえお嬢は「豆だくさんに一文の銭とちがって」、夜鷹から奪った百両の包みがラッキーと言っているのです。「西の海」は、門付けの口上の最後の決まり文句「(厄を)西の海へさらり(と落とす)」を指したもの。当時の風習がたくみに取り入れられています。

世話物

# 東海道四谷怪談（とうかいどうよつやかいだん）

（四谷怪談）

幽霊より怖い人の心

## 浪宅（髪梳き）

鏡を落としたお岩の顔を怖がる宅悦

わたくしもびっくりいたしました

びっくりするわいなあ

**驚く演技にもタメがある**

お岩は毒を盛られて醜く変わった自分の顔を鏡で見せられてもすぐには実感できず、宅悦が後ろ手に小道具を隠しているのでは？と疑っている

前半と後半で見どころも変わる！

お岩の変化

前半

非道な夫に虐げられる薄幸のヒロイン

後半

生きながらお化けの姿となり、誤って死んだ後は自由自在に活動

## DV夫にリベンジ！

**本**作は『仮名手本忠臣蔵』の外伝。主・塩冶家を出奔して浪人中の民谷伊右衛門は、元上司を殺し、その娘である元妻・お岩とよりを戻したもののお岩が煙たくなり、隣家の伊藤家（高師直の家来）の娘の求愛と経済的援助を受け入れます。伊右衛門に暴力をふるわれ、伊藤家に毒を盛られたお岩の顔は醜く変わり、死んで幽霊となり伊右衛門たちに復讐します。近年では坂東玉三郎、尾上菊之助の演技が印象的です。真面目妻のお岩様と、欲望のままに生きる伊右衛門の対比がリアルです。お岩が髪をすく間に形相が変わる最大の見せ場を盛り上げるのが、民谷家手伝いの按摩・宅悦の怖がり方。お岩に鏡を持たせ、自分の顔に驚いた彼女が鏡をはねのけると「私もびっくりしました」と、肩で息をするように怖がるなど、お岩のイキに合わせたメリハリが必要です。

按摩業の裏で売春宿を経営している設定で、社会の底辺に巣くう、こすっからい人物の雰囲気を出すのもなかなか難しく、腕のいい役者の演じる役です。

隠亡堀（おんぼうぼり）　序幕

# 江戸の市井の様子を今に伝える

### 流れついた戸板にお岩の霊が

悪事を重ねながらも「首が飛んでも動いてみせるわ」と豪語する伊右衛門に直助が「奇妙」と返す。男女の死体を打ち付けた戸板が流れ着いたという当時の事件が取り入れられている

### 伊右衛門とグルになる悪人

塩冶浪人の元家来。お岩様の妹・お袖に横恋慕し、お袖の夫（本当は入れ替わった別人）を殺害。お岩の父を殺した伊右衛門と口裏を合わせ、敵をとってやるという名目でお袖と同居する

## 当時の流行語も登場

本作は初演当時の事件や風俗が詰めこまれています。宅悦が経営する「地獄宿」は下級の売春宿という設定で、門口の看板には、娘が閻魔（えんま）に灸をすえる絵。表向きは灸の治療をし、裏では売春宿とわかる表示です。薬の行商をする無頼漢・直助権兵衛の「奇妙」という売り声にも注目。これは当時の大流行語で「非常に面白みや趣がある」という意味。行商で売られた「藤八五文」という薬の宣伝文句から流布しました。

世話物

# 天衣紛上野初花（河内山）

アウトローなヒーローの痛快な流儀

**肝の太い悪党**

二百両という大金で娘の救出をうけ負う。中村吉右衛門、片岡仁左衛門がうまく、それぞれの持ち味が生きる

## 上品な僧の意外な正体

悪事に長けた者は善事にも強い。そんな懐の深さを持つヒーローが御数寄屋坊主の河内山宗俊。僧侶ではなく侍で、江戸城に登城する大名らを茶道で接待するのが役目。身分は低くとも茶会を取り仕切る関係上、将軍の側近く仕えるのが強みで、大名といえども、粗末に扱えない存在でした。

そんな河内山が、大名・松江侯の愛人にされそうな娘を救出するため、上野寛永寺の僧侶に化けて堂々と松江侯の屋敷に乗り込みます。病気と偽って陰で娘を追い回している松江侯に対面するなり「まことに意外のご血色」と皮肉な一撃で相手の出鼻をくじき、威厳のある態度で交渉、娘の奪還に成功します。帰ろうとする玄関先で家臣に正体を見破られてもあわてず、それまでとは打って変わったべらんめえ口調で「河内山は直参（幕府直属）だぜ。大名風情にへつらう言われはねえ」と豪快なタンカをきります。松江侯が手も足も出ないと見るや、またもや上品な口調に戻り「帰っても苦しゅうござらぬか」と悠々と立ち去ります。

世話物

# 双蝶々曲輪日記〈引窓〉

## 中秋の情緒あふれるしみじみとした心理劇

### 引窓から差し込む明かり

母親が二階にかくまった長五郎に、与兵衛が気づく有名なシーン。町人から代官に取り立てられた与兵衛の、気持ちの自在な演じ分けも見どころ。武張った侍言葉と、柔らかな町人言葉が混ざる。中村吉右衛門の安定の傑作だった

### 気が利く妻

月見の支度にかいがいしい。姑の気持ちを察して夫を諌めたり、引窓の綱を操り長五郎の姿が見えないよう気づかう。与兵衛と駆け落ちした元遊女

### 登場するのはみな善人

舞台は京都近郊の八幡で、放生会（中秋に生き物を放つ仏教行事）の前日。代官に取り立てられた南与兵衛の家に、おたずね者となった義理の弟で元関取の濡髪長五郎が訪ねて来ます。先妻の子の与兵衛は義母の気持ちを察し、放生会にかこつけて長五郎を逃がします。明かり取りの引窓を操作し、差しこむ月光を朝日と偽って夜が明けたと言う演出も効果的で、立場の異なる家族が互いを思いやる様子が胸を打ちます。

時代物

# 宮島のだんまり

暗闇の中のパントマイム

**両性具有の魅力を表現**

傾城・浮舟太夫に化けた盗賊・袈裟太郎の幕外の引っ込みは「傾城六方」と呼ばれるもの。上半身の動きは男、下半身は傾城独特の外八文字の足取りで、両性具有の妖しさが際立つ

「大薩摩」と呼ばれる豪快な三味線と唄ではじまる演目。源平ゆかりの武将や白拍子などが登場し、平家の宝物をめぐって探り合う

**様式美あふれる動き**

横一列に並ぶ「蛇籠」という動きや、「絵面」とよばれる絵画的な構図が特徴

## 豪華で怪しい絵巻物の世界

「だんまり」とは暗闇の中で複数の人物が、宝物や物語のキーアイテムをめぐって無言で探り合うパントマイム。江戸当時は各劇場が毎年役者と契約を結び、十一月の顔見世でお披露目するため、色々な役柄が一幕に揃う「だんまり」が重宝されました。一種のファンサービスで、本作はその代表です。平家所縁の厳島神社に現れた怪しい傾城は、実は盗賊・袈裟太郎。妖術を使い、入り乱れる源平の人々とからみます。

時代物
世話物

男と男の華麗なたてひき

# 曽我綉侠御所染

（御所五郎蔵）

**曽我伝説から連想**

五郎蔵の台詞「曽我兄弟が討ち入りに似た喧嘩から名を売って、あだ名に呼ばれる御所の五郎蔵」は、曽我五郎の仇討ち伝説と、五郎を抱き止めた御所五郎丸から発想された

星影土右衛門

御所五郎蔵

「貸編笠の焼き印も」「梅も桜に植え替えて、まさる眺めの仲の町」の台詞には、遊客が顔を隠すために貸し出された編笠や、春に桜を移植する吉原の風俗が折り込まれている

## 言葉の応酬で魅せる三角関係

元武士の五郎蔵は、旧主・浅間家の元同輩・星影土右衛門と因縁の間柄。五郎蔵の恋人・腰元皐月に横恋慕していた土右衛門とともにお家を追放となります。生活に困った五郎蔵を支えるため、傾城になった皐月に土右衛門はなおも執心しています。

五郎蔵は侠客に、土右衛門は浪人となり、子分を引きつれた二人が吉原で七年ぶりに出会います。両花道に居並んだ大勢が、台詞をリレー式につないでいく「渡り台詞」の華麗さが有名です。

浅草・待乳山の景色や、吉原の風俗を巧みに折り込んだ、作者・河竹黙阿弥の工夫が光ります。皐月をよこせと迫る土右衛門の要求を五郎蔵は拒絶します。

主家のため大金の百両が必要になった五郎蔵を助けようと、皐月は心ならずも土右衛門になびくと見せて金を得ようとします。皐月の嘘の愛想尽かしに怒った五郎蔵は、夜の闇にまぎれて皐月を手にかけようとしますが、誤って主君所縁の傾城・逢州を殺してしまいます。

# 与話情浮名横櫛（よわなさけうきなのよこぐし）

## 三年振りの元カノとの再会

（切られ与三（よさ））

干してある
手ぬぐいの
模様で相手役の
与三郎役者の
見当がつく。

これは
三筋格子という
成田屋の模様。

全身に三十四カ所
の刀傷

頬に蝙蝠の
刺青がある

女房の着物を着用
黒のかけ襟と
裏地の朱色が
女物のしるし

**お富**

銭湯帰りの設定で、粋な湯上がり姿。「馬の尻尾」という髪型に横櫛をさしている

**与三郎**

無頼漢になっているが、お坊ちゃんらしさの名残がある

**蝙蝠安（こうもりやす）**

### いやさお富、久しぶりだなぁ

江戸の大店の若旦那・与三郎は放蕩の末、木更津で土地の親分の妾・お富と出会い、恋に落ちます。密会現場を見つけられた与三郎は切り刻まれ、お富は海に身投げ。三年後、偶然再会した二人の境遇は様変わりしていました。与三郎は勘当されて落ちぶれ、無頼漢の蝙蝠安と共にゆすりかたりの毎日。お富は海で商人の多左衛門に助けられて囲い者に。実は多左衛門はお富の兄で、真っ当に生きるよう与三郎を諭します。

新歌舞伎

# ぢいさんばあさん

## おしどり夫婦の変わらぬ絆

**歳月の流れを表現する桜**

冒頭の屋敷では庭に桜の若木。料亭の場面では、るんが伊織への手紙に入れた桜の花びらが、別居中の夫婦の想いを象徴。最後は年老いた伊織とるんが、大木に育った桜をともに愛でる

### 三十七年間の別離と再会

若夫婦に降り掛かった別離と、老年期の再会を描く作品。若侍の伊織は、妻・るんと平和に暮らしていましたが、不祥事をおこしたるんの弟の代役で、京へ単身赴任へ。短慮から朋輩を斬った伊織は、越前に長期お預けに。伊織の屋敷、京の料亭、元の屋敷での再会という三幕で、人生の変転と変わらぬ夫婦の絆を見せます。冒頭で伊織が見せる癖が、白髪頭の伊織＝夫だとるんが気づくきっかけとなるのも心憎い伏線です。

**天地人の乱拍子とは？**

松浦侯と大石内蔵助が兵学校で習った陣太鼓の打ち方を指す。愛嬌のある二代目吉右衛門の演技は名品だった。初演は播磨屋・中村屋の祖・三代目中村歌六

## 明治時代の新作歌舞伎

『忠臣蔵』の外伝劇のひとつ。主君を失った浪士らに同情するお殿様・松浦侯の屋敷は、浪士が目指す敵・吉良邸の隣。師走のある日、侯の俳諧の師の宝井其角は、浪士の一人・大高源吾に偶然出会います。その時の気になる話が侯の耳に入り……。熱いハートを持ったお殿様の一日を、喜怒哀楽たっぷりに描きます。

　松浦侯は、いかにもお殿様らしいザ・お殿様。赤穂浪士のリーダー・大石内蔵助とは、若い日に兵学校の門弟同士。そのため大石に肩入れし、浪士の討ち入りを心待ちにしています。諸芸に通じた風流人でもありますが、楽しげに俳諧を作っていたかと思えば、討ち入りの気配がないと知ると、ブツブツと不機嫌に。私利私欲や裏表がなく、何ともいえず愛嬌のある松浦侯のキャラクターが、最大の魅力です。芝居の鍵となるのが其角と源吾が交した誹諧「年の瀬や水の流れと人の身は明日待たるるその宝船」の「宝船」という言葉。誰の胸にも「希望」という名の宝船がある——。そんな風に思える作品です。

新歌舞伎

# 荒川の佐吉

子どもとヤクザの情愛にホロリ

**台詞もわかりやすい新歌舞伎**

真山青果作の新歌舞伎。戦前の名優・十五代目市村羽左衛門の「最初はみすぼらしくて、最後に桜の花がぱっと咲くような潔い男の芝居がしたい」という要望を入れて書かれた

佐吉
ホロリと泣かせる仁左衛門、リアルさが光る猿之助も個性的

## 己を捨ててたどり着く境地

**腕**のいい大工でありながらヤクザの下っ端の佐吉が親分を殺された後、その孫で盲目の卯之吉を育てる物語。佐吉はヤクザの世界に憧れる軽々しさ、子供好きと義理堅さが混じった不思議なキャラ。卯之吉の真の親元は裕福な商家で、佐吉から息子を奪い返そうとしますが、佐吉は卯之吉を守り、親分の仇も討って名を為したものの、卯之吉の将来を考えて親元に戻し、全てを捨てて江戸を去って行きます。

スーパー歌舞伎

# ワンピース

人気漫画と歌舞伎のコラボレーション

**爽快な舞台演出**

本物の水を大量に使う「本水」(35頁)の立ち回りや絵画的な「絵面の見得」(71頁)など、演出も豪華

ルフィの宙乗り
サーフィンのイメージ

俺は絶対さよならという言葉は使わない。また逢いたいから

六方を踏むボン・クレー
はじけっぷりが秀逸なキャラ！

ボン・クレー役の坂東巳之助の怪演も光った

ゾロとスクアード、3役演じ分けたのよう！

**歌舞伎的演出とマンガの融合**

バージョンアップした次世代の「スーパー歌舞伎Ⅱ」として、2015年に市川猿之助のルフィによって初演された。平知盛を思わせる白装束の海賊が登場したり、毒で倒れたルフィが巻いている白鉢巻きは病人のアイコンである紫の「病鉢巻き」のアレンジだったり、随所に歌舞伎的演出が

## 進化するスーパー歌舞伎

海賊となった主人公の少年・ルフィと仲間たちが大秘宝を探す海洋冒険漫画『ONE PIECE』(尾田栄一郎・作）が原作。特筆すべきは、原作の世界観と見事に融合した「傾きっぷり」。荒唐無稽ながら緻密な構成、壮大なスケール、キャラの立った登場人物、監獄の奥の秘密の解放区「ニューカマーランド」の怪しさも楽しく、若手の生き生きとした演技も印象的。六方や宙乗りなど歌舞伎の演出も巧みに生かされています。

松羽目物

# 棒しばり

## 不自由を逆手にとった舞踊劇

### 両手を封じた名人芸

大正五年初演。舞踊の名人だった六代目尾上菊五郎と七代目坂東三津五郎の「両手の動きを封じて踊らせる」という趣向で書かれた。振りつけにも協力した六代目は「さほど身体が窮屈と思わず、本当に酒に酔った気分で、毎日ただただ愉快に踊っている」と語っていた。上記の孫世代の故・十八代目中村勘三郎、故・十代目坂東三津五郎のコンビも秀逸だった

### もがく酒好きの二人！

狂言の『棒縛』を歌舞伎化したもので、主の留守に、家来の太郎冠者と次郎冠者が、酒を盗み飲むという話です。それを防ごうとする主によって、二人が手を縛られているのがポイント。後ろ手に縛られているのが太郎冠者、両手に棒をくくりつけられているのが次郎冠者で、後者の方が重い役です。

二人が協力し合って酒を飲もうとするのが第一の見どころ。足で盃の底を傾けるなど、工夫して相手に飲ませる動きがユーモラスです。酔った二人が踊りを披露するのが第二の見どころ。「東からげの汐衣～」の長唄で始まる、次郎冠者の後半の踊りは能の『融』の詞章を取り入れたもの。秋の夜、旅の僧が六条河原で汐汲み姿の老人と出会い昔語りをしますが、老人は、実は亡霊だったという内容です。本作では、次郎冠者が縛られている棒を、汐汲みの天秤棒に見立てた趣向で、幽玄な世界をくだけた舞踊にしたのが、歌舞伎らしい発想です。最後は二人で息の合った連舞を見せます。

所作事

# 春興鏡獅子（しゅんきょうかがみじし）

（鏡獅子）

少女に獅子の精が憑いて真逆のキャラに！

天の浮橋 渡りそめ～

演者の身体も橋の形に

**1**

**「天の浮き橋 渡りそめ」**

将軍の前に呼び出され、居ずまいを正して踊り始める。この長唄の詞章は、太古の昔、男神と女神が天と地を結ぶ橋を渡ってやって来て、日本の国を産んだ神話にちなんだもの。後ろ向きに座り、袖を開いて見上げるような形を見せると、目線の先に天空の橋が浮かぶよう。同時に弥生の身体も橋のように見える

**2**

**「人の心の花の露」**

「川崎音頭」と呼ばれる部分で、音頭のリズムに合わせて恋する少女の気分を表す。うんと腰を落とした有名なポーズの難易度が高い

**3**

**「朧月夜やほととぎす」**

物見遊山で弥生が目にした光景という設定で、踊ったり田植えする女性の仕草を真似る。「早乙女がござれば」の詞章では、扇が苗を入れた籠に見立てられる。最後は、声はすれども姿を目にしにくいホトトギスが飛び立った瞬間。恋の想いに沈みながら不規則な飛び方を目で追う

## 無心な心に神仏は取り憑く

舞台は初春の大奥。お小姓（奥勤めの少女）の弥生（やよい）が、獅子の精に変身する舞踊です。無垢な若年者ほど神様などが乗り移りやすいとされ、ひたすらな無心さが大きなポイント。能の構成を元に、前半（前シテ）は可憐な少女、後半（後シテ）が勇ましい獅子の精という両極端のキャラを踊り分けます。途中で牡丹（ぼたん）のイメージが登場しますが、古来より獅子に牡丹はつきもの。獅子の寄生虫の特効薬が牡丹の露だからです。

# 少女の踊りから獅子の大変身まで

前半と後半の踊り分けが難しく長丁場のため、
技術・体力ともに充実していないと踊れない大曲

## 4 「ちりちりちり散りかかる」

前半は扇を使って牡丹がコロリと咲いた形を表現。詞章は今にも散りそうな花の風情を表現したもの。満開の牡丹に見とれていた弥生が、いつの間にか咲き乱れる花そのものとなり、陶酔したように踊る

初々しい少女に
獅子頭がとりついて
引きずられていく
場面は圧巻！

## 5 「動く獅子頭」

踊りのクライマックス！　獅子頭を手にすると、獅子が突然動き出す。驚いて獅子を抑えようとするが、一直線に引きずられるようにして花道を走り去る。獅子に引かれる右半身と、とどまろうとする左半身の動きが大迫力

## 6 「獅子の毛振り」

弥生が変身した後シテの獅子は勇壮な動きが見もの。見せ場の毛振りは、腰で回すのがコツと言われる

舞踊

# 黒塚（くろづか）

## 東北の鬼女伝説を題材にした舞踊劇

大きな月と一面のススキの原の舞台装置も印象的
歌舞伎名作撰DVDにもなっている

後半では鬼に変身

文長（たけなが）

**鬼になっても女性！**

本作を得意にした現・猿翁（初代の孫）は「鬼になってからも毛に丈長があるのは黒塚だけで、丈長が女性を象徴している」と語っている。丈長は和紙製の髪飾りのこと。市川猿之助（えんのすけ）がブッちぎりの面白さで見せる

### 秋の夜の人食い鬼！

老婆の正体は人食い鬼の化身！しかしその心は、女性の哀しみで満ちていた――。安達ヶ原（福島県・二本松市）の鬼女伝説に題材をとった同名の能作品の歌舞伎化で、初代市川猿翁（いちかわえんおう）が創作・初演。猿翁が見たロシアンバレエの動きも取り入れられています。

前半は能、鬼の本性を現す後半は歌舞伎の演出。秋の夜、寂しい原野の朽ちはてた一軒家。旅の僧らが一夜の宿を乞いますが、家の主は、鬼の化身・岩手でした。岩手は都生まれでしたが、父が流罪となり、夫は岩手を捨てて失踪。生きる希望を失い世を恨んで過ごしてきた過去を僧に語ります。「前非を悔いて仏の教えを守れば成仏できる」という僧の言葉を聞いて喜ぶ岩手。僧たちをもてなすため薪を拾いに出かけると、そこは一面のススキ野原。月光を浴びて童心に帰り、自分の影とたわむれながら踊る姿が美しく幻想的で、後半での鬼の荒々しさとの対比が効いています。その直後に僧たちの背信を知り、怒りのあまり鬼に戻ってしまうのが哀れです。

舞踊

# 三社祭（さんじゃまつり）

## 祭りの起源を軽快に踊る

**三社祭とは？**

三社祭は現在は浅草神社の大祭だが、江戸期は浅草寺と一体だった。当時は神輿より山車人形が祭りの中心だった

**後半の「玉づくし」**

江戸当時の曲芸や見世物を表現しつつ、激しく跳ね回る。五月晴れの下、善悪の面も笑っているような、心浮き立つ作品

## 兄弟漁師の元気ハツラツ舞踊

三社祭の起源が示される踊り。兄弟の漁師が隅田川から引き上げた観音像を安置したのが浅草寺（せんそうじ）の始まりです。キモは「跳躍感」。幕開きで二人の兄弟漁師が舟の中で揺れているのは、江戸期の三社祭の山車人形（だしにんぎょう）の真似。空から妖しい雲が降りて来ると中には善悪二つの玉が。兄弟は善悪の面をつけて踊りだします。妖しい鳴り物入りで時代がかった動きから、手ぬぐいを綱に見立てて引き合うなど、息の合った動きを見せます。

舞踊

# 双面（ふたおもて）

## 僧と姫の合体霊によるオカルト舞踊？

**一人の中に二人の人格!?**

怨霊が恨む相手の姿を借りて、二人格が現れる双面信仰が作品の由来。生きているお組の前に現れた、もう一人のお組。シュールな世界！

**舞踊の常識を変えた**

初演したのは、江戸時代の舞踊の名人・中村仲蔵（なかむらなかぞう）。仲蔵の時代までは、舞踊は女形の専売特許だった。大曲『娘道成寺』を踊りたい立役の仲蔵のために、男女の合体霊で既成事実を作り、女形からクレームがつかないようにした

### 肉体に真逆のキャラが宿る

堕落僧・法界坊（ほうかいぼう）は、三枚目の悪人。お姫様は野分姫（のわきひめ）といい、商家の店員にやつした許嫁・松若（まつわか）に会いに来ていましたが、当の松若は店の娘・お組（くみ）に惚れられています。お組に横恋慕する法界坊は、成り行きで野分姫を殺し、松若も拉致しますが、逆に殺されます。ここまでが芝居『法界坊』のストーリーで、本作はその終幕。逃げたお組に未練を残す法界坊と、松若に執念を持つ姫の霊魂が、合体してもう一人のお組の姿になるという展開で、立役の踊りです。

二人の人物が全く同じ姿で現れ、後に一方が亡霊の正体を現す双面伝説から着想された作品で、立役が演じる娘らしい所作が新鮮。亡霊なので、花道のスッポンからせり上がって登場するのが決まりです。眼目は合体した法界坊と姫のキャラが、踊りながらくるくると入れ替わること。可憐な仕草をしたかと思えば、荒々しくすごむ。伴奏は常磐津（ときわず）と義太夫（ぎだゆう）のかけ合いで、骨太な義太夫が法界坊、優美な常磐津が野分姫のパーツを受け持ちます。

松羽目物

# 土蜘（つちぐも）

## 妖怪の松羽目物舞踊

数珠が裂けた口の形に

後半で本来の姿を現す

**土蜘の精**

音羽屋（おとわや）ゆかりの演目。菊之助（きくのすけ）・菊五郎（きくごろう）・丑之助（うしのすけ）の三代共演も

**蜘蛛の糸の秘密**

糸は薄い和紙製で、10数メートルのものもあり、太さは役者さんの好みで2〜5ミリ。代々専任で糸を作る人もいる。後見が素早く巻き取って片づけられるよう、舞台に散乱しない工夫もされている

## 人間に化けていても不気味

人間に変身した妖怪変化の舞踊はいろいろありますが、変身中の雰囲気も重要です。

侍女が舞い聞かせる秋の風物に耳を傾ける貴公子。やがて夜もふけ、シーンと静まりかえった舞台に、いつの間にか現れた一人の僧侶。実はこの僧侶の正体は土蜘の精ですが、人間に化けていても、どことなく不気味な感じを出せるかが重要です。

正体に気づかれ、斬りつけられた僧侶が、袖をかぶってうずくまるのは、土蜘が姿を隠した形。貴公子を睨みつけつつ、低い姿勢ですべるように花道を去って行く姿も見どころ。前半は能仕立て、土蜘に変身する後半は豪快な立ち回りを見せ、対照的な雰囲気で盛り上げます。侍女の艶やかな舞にコミカルな合狂言も入り、変化に富んだ構成で飽きさせませんが、重要なのは前半。僧の姿のままで、いかに「妖怪らしさ」を表現できるかです。後半で本性をあらわした土蜘の放つ「千筋の糸」は出色の小道具で、舞台にパッと美しく散る様子が見事です。

舞踊

# 近江のお兼

生き生きと踊る大力の女性

「馬の尻尾」というラフな髪型
団扇状の棒につけた布の長さは一丈二尺（約3m70cm）と決まっている
着物は田舎娘をあらわす緑色で「石持」という無名を意味する白い丸紋入り
お兼

**異称は「團十郎娘」**

初演は七代目市川團十郎。長唄の詞章も〽色気白歯の團十郎娘〜とある。力持ちという設定が、市川家の荒事とも通じる

## 暴れ馬や布も楽々操る

近江（滋賀県）のお兼は伝説上の女性で、布晒しの仕事をする力自慢。暴れ馬の手綱を高下駄で踏むだけでおとなしくさせたり、大勢の若者を投げ飛ばしたりと色々な型があり、いずれも派手な演出で元気一杯に踊ります。相撲を連想する振りがあるかと思えば、近江八景の美しさをよみこんだ振りとクドキでは一転、女らしい仕草に。最大の見どころの盆踊りを経て、長い布を自在に操る「布晒し」で幕となります。

舞踊

# 京人形（きょうにんぎょう）

## 魂が入って動き出す人形

**甚五郎の右腕**

姫に仕える奴・照平が、甚五郎を敵と勘違いし、右腕に斬りつけたため、腕が使えなくなっている設定

### 鏡で女らしい仕草に

**名**工・左甚五郎（ひだりじんごろう）が、一目惚れした遊女・小車太夫（おぐるまだゆう）に似せて作った人形に一念が乗り移り、動き出します。が、立ち振る舞いは男のよう。驚いた甚五郎が、太夫の落とした鏡を人形の懐に入れると、女らしい仕草に変化。鏡の有る無しで、人形の様子がたちまち変わる趣向が眼目です。かくまっている主筋の井筒姫を、横恋慕する松永大膳（まつながだいぜん）の手下が奪いに来ますが、甚五郎は片腕で大工に扮した追っ手らをやっつけていきます。

# 『本外題』と「通称」とは？

**歌舞伎には、タイトルが複数存在する演目があります。ここでは縁起を担いで奇数の文字数でつけられる『本外題』と、親しみやすい「通称」についてご説明します**

歌舞伎では演目の正式タイトルを『**本外題**』と呼び、複数の「通称」を持つ場合があります。また長い芝居の〈一場面〉にも、正式タイトルや副題、通称があります。

たとえば「弁天小僧」「白浪五人男」「弁天娘女男白浪」『青砥稿花紅彩画』は、みな同じ芝居を指し、『青砥稿～』が本外題で、他は通称です。ちなみに、全編上演（通し）時に『青砥稿～』の本外題を使うことが多いようです。

本外題『仮名手本忠臣蔵』は、通称が「忠臣蔵」。本外題を短く縮めた通称は数ありますが、「忠臣蔵」といえば『仮名手本～』を指します。

現代では芝居の一場面だけが生き残り、他の場面はほとんど上演されない演目の場合、その〈場面〉のタイトルが通称に。たとえば『新版歌祭文』は「野崎村」、『平家女護島』は「俊寛」の通称で知られます。

上演形態でもタイトルは変わります。本外題『天衣紛上野初花』では、河内山と直侍という二人の男が登場するので、通称「河内山と直侍」。河内山が活躍する部分を単独で上演する時は「河内山」、直侍が活躍する部分を単独で上演する時には「雪暮夜入谷畦道」の外題となり、通称「そば屋」で知られます。

長い芝居の一場面を指すタイトルには『仮名手本忠臣蔵』の〈一力茶屋〉、『義経千本桜』の〈川連法眼館〉などがあり、それぞれ〈七段目〉、〈四の切〉の通称で知られます。

# その他の本外題と通称早見表

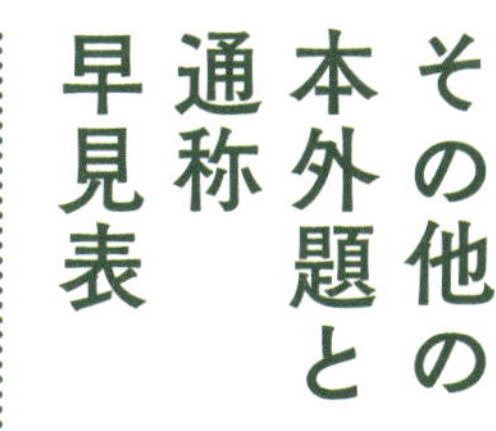

緑字　本外題
「——」通称・別称
〈——〉場名（通称含む）

「天衣紛上野初花」を一冊の本にたとえると
正式タイトルを本外題という
通称は「河内山と直侍」二人の男の名
複数の章があり、単独で上演も。
河内山の話をまとめて「河内山」とよぶ
直侍の部分は「雪暮夜入谷畦道」場の情景から「そば屋」とも

## あ（行）

**青砥稿花紅彩画**（あおとぞうしはなのにしきえ）
「白浪五人男（しらなみごにんおとこ）」（〈浜松屋〉〈稲瀬川勢揃い〉など）「弁天娘女男白浪（べんてんむすめめおのしらなみ）」（〈浜松屋〉）「弁天小僧」

**蘆屋道満大内鑑**（あしやどうまんおおうちかがみ）
「葛（くず）の葉」

**伊賀越道中双六**（いがごえどうちゅうすごろく）
〈沼津〉〈岡崎〉など

**伊勢音頭恋寝刃**（いせおんどこいのねたば）
「伊勢音頭」〈油屋〉など

**一谷嫩軍記**（いちのたにふたばぐんき）
〈陣門〉〈組打〉〈熊谷陣屋〉

**妹背山婦女庭訓**（いもせやまおんなていきん）
〈御殿〉〈吉野川〉など

**色彩間苅豆**（いろもようちょっとかりまめ）（舞踊）
「かさね」

**浮世柄比翼稲妻**（うきよづかひよくのいなづま）
〈鞘当（さやあて）〉など

**絵本太功記**（えほんたいこうき）
「太十（たいじゅう）」

**奥州安達原**（おうしゅうあだちがはら）
「袖萩祭文（そではぎさいもん）」

**近江源氏先陣館**（おうみげんじせんじんやかた）
「盛綱陣屋（もりつなじんや）」

**於染久松色読販**（おそめひさまつうきなのよみうり）
「お染の七役」

## か（行）

**籠釣瓶花街酔醒**（かごつるべさとのえいざめ）
「籠釣瓶（かごつるべ）」

**梶原平三誉石切**（かじわらへいぞうほまれのいしきり）
「石切梶原（いしきりかじわら）」

**敵討天下茶屋聚**（かたきうちてんがぢゃやむら）
「天下茶屋（じゃや）」

仮名手本忠臣蔵
〈大序〉〈二段目～五段目〉〈六段目（勘平切腹）〉〈七段目（一力茶屋）〉〈八段目（道行旅路の嫁入）〉（舞踊）〈九段目（山科閑居）〉〈十段目～十一段目〉「道行旅路の花婿（落人）」（舞踊）

神明恵和合取組
「め組の喧嘩」

鬼一法眼三略巻
〈菊畑〉〈一条大蔵譚〉

祇園祭礼信仰記
「金閣寺」

廓文章
「吉田屋」

慶安太平記
「丸橋忠弥」

傾城反魂香
「吃又」

源平布引滝
〈義賢最期〉「実盛物語」

元禄忠臣蔵
〈御浜御殿綱豊卿〉〈大石最後の一日〉など

恋飛脚大和往来
〈封印切〉〈新口村〉など

恋女房染分手綱
「重の井子別れ」

寿曽我対面
「対面」

御所桜堀川夜討
「弁慶上使」「藤弥太物語」

## さ（行）

花街模様薊色縫
「十六夜清心」

三人吉三巴白浪
「三人吉三」〈大川端庚申塚（大川端）〉など

忍夜恋曲者（舞踊）
「将門」

松竹梅雪曙（舞踊）
「櫓のお七」

新薄雪物語
〈花見〉〈合腹〉など

新皿屋舗月雨暈
「魚屋宗五郎」

菅原伝授手習鑑
〈加茂堤〉〈筆法伝授〉〈道明寺〉〈車引〉〈賀の祝〉〈寺子屋〉

隅田川続俤
「法界坊」「双面」（舞踊）

曽我綉侠御所染
「御所五郎蔵」

## た（行）

壇浦兜軍記
「阿古屋」

積恋雪関扉（所作事）
「関の扉」

梅雨小袖昔八丈
「髪結新三」

時今也桔梗旗揚
「馬盥の光秀」

## な（行）

鳴神不動北山桜
「毛抜」「鳴神」など

## は（行）

彦山権現誓助剣
「毛谷村」

ひらかな盛衰記
〈源太勘当〉〈逆櫓〉など

双蝶々曲輪日記
〈角力場〉〈引窓〉など

本朝廿四孝
〈十種香〉〈奥庭〉など

## ま（行）

都鳥廓白浪
「忍ぶの惣太」

銘作左小刀
「京人形」

伽羅先代萩
〈花水橋〉
〈竹の間〉〈御殿〉〈床下〉
〈対決〉〈刃傷〉

## や（行）

八重桐廓噺
「嫗山姥」

義経千本桜
〈鳥居前〉、〈渡海屋〉、〈大物浦〉、〈木の実・小金吾討死〉、〈すし屋〉、〈道行初音旅（吉野山）〉（舞踊）、〈川連法眼館（四の切）〉

与話情浮名横櫛
「切られ与三」
〈源氏店〉など

## ら（行）

六歌仙容彩（舞踊）
「遍照」、「文屋」、「業平」、「喜撰」、「黒主」のパートに分けられる

# 索引

# 主な参考文献


- **『名作歌舞伎全集』**
  利倉幸一、河竹登志夫、郡司正勝、山本二郎、戸板康二監修
  東京創元新社
- **『演劇百科大事典』**
  早稲田大学演劇博物館編著
  平凡社
- **『歌舞伎の型』**
  加賀山直三著
  東京創元社
- **『歌舞伎名作事典』**
  演劇出版社
- **『歌舞伎名作舞踊』** 平成九年 新装改訂版
  演劇出版社
- **『歌舞伎 ― 歌舞伎の魅力大事典』** 昭和六十一年 新装改題普及版
  講談社
- **『かぶきの本』** 国立劇場調査養成部 + 金森和子編
  日本芸術文化振興会
- **『かぶき手帖』** 2021 〜 2022 年度版
  日本俳優協会、松竹株式会社、伝統歌舞伎保存会編集・発行
- **『歌舞伎大道具師』**
  釘町久磨次著
  青土社
- **『歌舞伎ナビ』**
  渡辺保著
  マガジンハウス
- **『芸づくし忠臣蔵』**
  関容子著
  文藝春秋
- **『松緑芸話』**
  二代目尾上松緑著
  講談社
- **『梅の下風』**
  六世尾上梅幸著
  演劇出版社

あとがき

# 舞台は生もの「一期一会の尊さ」

私が初めて歌舞伎を観たのは十代はじめ。七代目尾上菊五郎の「弁天小僧」でした。美しい武家娘が一転、ふてぶてしい悪党に変身する姿は衝撃的で、観劇の原点と言える体験でした。背筋がゾクゾクするような陶酔感を今も憶えています。

現在、歌舞伎の仕事を手がけて十数年が経ちますが、それだけの年数でも、最初に出版した本で紹介した役者さんたちの顔ぶれがずいぶん入れ替わりました。鬼籍に入った人、若手だったのが今や中核を担う人、開花し始めた若手たち。過去の役者さんの名舞台も目に浮かび、初めて歌舞伎を観た日から「あれは一期一会だった」と思える体験が年々増えていきます。舞台はその時限りの「生もの」であり「観たい」と思い立ったが吉日なのです。

その想いに拍車をかけたのが未曾有のコロナ禍。劇場も役者さんも私たち観客も苦労と我慢を強いられる毎日に、無事上演ができて、お芝居を観られる日常が如何に貴重なのかを思い知ると同時に、急な代役の見事さにも驚かされました。過去にも荒波をくぐり抜けてきた歌舞伎には、日々深化と進化を続けてきた底力があります。今までも、きっとこれからも――。

本書が皆さんの「一期一会」を見つけるきっかけになれば、こんなに嬉しい事はありません。

## 著者プロフィール

**辻 和子**（つじ・かずこ）
兵庫県西宮市生まれ。嵯峨美術短期大学ビジュアルデザイン科卒業。以降イラストレーターとして広告・出版物・カレンダーなどを中心に活躍中。
子供の頃より歌舞伎好きの親の影響で劇場に通う。孝夫時代の十五代目片岡仁左衛門と十三代目の親子共演による『沼津』で、本格的に歌舞伎に開眼する。
東京新聞「幕の内外」「かぶき彩時記」、フリーペーパー MEG「世渡り歌舞伎講座」、松竹「歌舞伎美人」メールマガジンなどで歌舞伎イラストエッセイを連載。食と映画の新聞イラストエッセイ「味なシネマ紀行」など。著書に『ヒマラヤ旅の玉手箱』（双葉社）、『恋する KABUKI』、『一番わかりやすい歌舞伎イラスト読本』（実業之日本社）、『絵で知る歌舞伎の玉手箱』（東京新聞出版部）、『歌舞伎の 101 演目解剖図鑑』（エクスナレッジ）など。

※本書のイラストの一部は、東京新聞に連載された「幕の内外」「かぶき彩時記」を加筆修正したものです。

# 最新版 歌舞伎の解剖図鑑

2022年 11月2日 初版第1刷発行
2024年 10月4日 第2刷発行

著者 辻 和子

発行者 三輪浩之

発行所 株式会社エクスナレッジ
〒106-0032
東京都港区六本木7-2-26
https://www.xknowledge.co.jp/

問合せ先 編集 Tel：03-3403-1381
Fax：03-3403-1345
info@xknowledge.co.jp
販売 Tel：03-3403-1321
Fax：03-3403-1829

無断転載の禁止
本書の内容（本文、写真、図表、イラスト等）を、当社および著作権者の承諾なしに無断で転載（翻訳、複写、データベースへの入力、インターネットでの掲載等）することを禁じます。